사고력

팩토

연산

A04
(두 자리 수)+(한 자리 수)

매스티안

구성과 특징

1주 연산 원리 학습

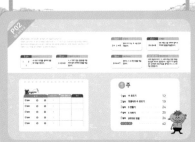

붙임 딱지 등의 활동으로
연산 원리를 재미있게 체득

2주 연산 응용 학습

연산 원리를 응용한 문제를
풀어 보며 문제해결력 신장

정답

 아이와 자연스럽게 학습을 시작할 수
있도록 스토리텔링 방식 도입

아이들이 배우는 연산 원리에 대한
학습가이드 제시

연산 실력 체크 진단 + 보충 온라인 보충 학습

2~4주차 사고력 연산을
학습하기 전에 연산 실력 체크

매스티안 홈페이지에서 제공하는
보충 학습으로 연산 원리 다지기

온라인 활동지

매스티안 홈페이지에서 제공하는
활동지로 사고력 연산 이해도 향상

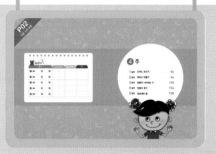

4주 사고력 학습 2

연산 원리를 바탕으로 한 사고력 연산
문제를 풀어 보며 수학적 사고력과 창의력 향상

3주 사고력 학습 1

연산 원리를 바탕으로 한 사고력 연산
문제를 풀어 보며 수학적 사고력과 창의력 향상

· 3, 4주차 1일 학습 흐름 ·

난이도 下

→

난이도 中

→

난이도 上

→

목표 문제

특정 주제를 쉬운 문제부터 목표 문제까지 차근차근
학습할 수 있도록 설계 되어 있어 자기주도학습 가능

✦✦ App Game 팩토 연산 SPEED UP

앱스토어에서 무료로 다운받은
팩토 연산 SPEED UP으로 덧셈, 뺄셈,
곱셈, 나눗셈의 연산 속도와 정확성 향상

✦✦ 부록 칭찬 붙임 딱지, 상장

학습 동기 부여를 위한
칭찬 붙임 딱지와 연산왕 상장

사고력을 키우는 **팩토 연산 시리즈**

 | 권장 학년 : 7세, 초1 |

권별	학습 주제	교과 연계
P01	10까지의 수	**1**학년 **1**학기
P02	작은 수의 덧셈	**1**학년 **1**학기
P03	작은 수의 뺄셈	**1**학년 **1**학기
P04	작은 수의 덧셈과 뺄셈	**1**학년 **1**학기
P05	50까지의 수	**1**학년 **1**학기

 | 권장 학년 : 초1, 초2 |

권별	학습 주제	교과 연계
A01	100까지의 수	**1**학년 **2**학기
A02	덧셈구구	**1**학년 **2**학기
A03	뺄셈구구	**1**학년 **2**학기
A04	(두 자리 수)+(한 자리 수)	**2**학년 **1**학기
A05	(두 자리 수)-(한 자리 수)	**2**학년 **1**학기

 | 권장 학년 : 초2, 초3 |

권별	학습 주제	교과 연계
B01	세 자리 수	**2**학년 **1**학기
B02	(두 자리 수)+(두 자리 수)	**2**학년 **1**학기
B03	(두 자리 수)-(두 자리 수)	**2**학년 **1**학기
B04	곱셈구구	**2**학년 **2**학기
B05	큰 수의 덧셈과 뺄셈	**3**학년 **1**학기

 | 권장 학년 : 초3, 초4 |

권별	학습 주제	교과 연계
C01	나눗셈구구	**3**학년 **1**학기
C02	두 자리 수의 곱셈	**3**학년 **2**학기
C03	혼합 계산	**4**학년 **1**학기
C04	큰 수의 곱셈과 나눗셈	**4**학년 **1**학기
C05	분수·소수의 덧셈과 뺄셈	**4**학년 **1**학기

A04 (두 자리 수)+(한 자리 수) 목차

A04권에서는 A02권의 (한 자리 수) + (한 자리 수)의 계산에 이어 (두 자리 수) + (한 자리 수)의 계산을 학습합니다.

보통 필산으로 계산할 때에는 일의 자리부터 계산하지만 여기에서 배우는 (두 자리 수) + (한 자리 수)는 머리셈의 계산 원리를 이용하여 받아올림이 없는 덧셈에서 받아올림이 있는 덧셈으로, 가로셈에서 세로셈으로 순차적으로 알아봅니다.

1일차 받아올림이 없는 덧셈
$64 + 3 = \boxed{67}$ 받아올림이 없는 (두 자리 수) + (한 자리 수)를 학습합니다.

2일차 일의 자리 숫자의 합이 10
$76 + 4 = \boxed{80}$ 일의 자리 숫자의 합이 10인 (두 자리 수) + (한 자리 수)를 학습합니다.

학습관리표

일자			소요 시간	틀린 문항 수	확인
1 일차	월	일	:		
2 일차	월	일	:		
3 일차	월	일	:		
4 일차	월	일	:		
5 일차	월	일	:		

1주

받아올림이 없는 덧셈

일차

🌷 동전을 붙이며 덧셈을 하시오.

준비물 ▶ 붙임 딱지

구두 닦기

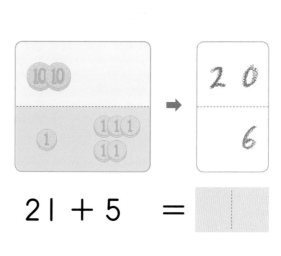

$$21 + 5 \ = \ $$

방 청소하기

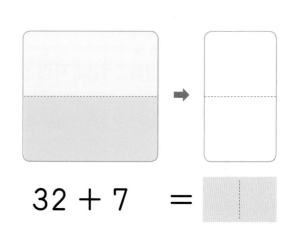

$$32 + 7 \ = \ $$

☺ 　 안에 알맞은 수를 써넣어 덧셈을 하시오.

○ 보기 ○

$10 + \boxed{} = \mathit{1\,0}$

$2 + \boxed{3} = \mathit{5}$

$12 + 3 = \mathit{1\,5}$

$20 + \boxed{} = $

$4 + \boxed{2} = $

$24 + 2 = $

$30 + \boxed{} = $

$1 + \boxed{4} = $

$31 + 4 = $

$40 + \boxed{} = $

$5 + \boxed{3} = $

$45 + 3 = $

$50 + \boxed{} = $

$3 + \boxed{6} = $

$53 + 6 = $

$70 + \boxed{} = $

$6 + \boxed{1} = $

$76 + 1 = $

1
A04

⚘ '십의 자리 → 일의 자리' 순서로 계산하시오.

그대로
15 + 2 = | ➡ 15 + 2 = | 7
5+2

그대로
|| + 3 = 1
1+3

그대로
23 + 4 =
3+4

34 + 2 =

4| + 5 =

52 + 7 =

64 + | =

43 + 5 =

73 + 6 =

1
A04

$53 + 3 =$

$74 + 2 =$

$62 + 5 =$

$37 + 1 =$

$44 + 4 =$

$83 + 6 =$

$97 + 2 =$

$52 + 4 =$

$84 + 3 =$

$21 + 1 =$

$67 + 2 =$

$93 + 4 =$

1 일차

🌸 덧셈을 하시오.

$14 + 1 = $ ⬜ $\qquad$ $12 + 7 = $ ⬜

$21 + 3 = $ ⬜ $\qquad$ $31 + 2 = $ ⬜

$32 + 5 = $ ⬜ $\qquad$ $23 + 2 = $ ⬜

$45 + 2 = $ ⬜ $\qquad$ $51 + 5 = $ ⬜

$34 + 4 = $ ⬜ $\qquad$ $42 + 6 = $ ⬜

$53 + 6 = $ ⬜ $\qquad$ $64 + 3 = $ ⬜

42 + 6 =

53 + 4 =

61 + 4 =

32 + 7 =

74 + 5 =

63 + 1 =

22 + 7 =

82 + 6 =

91 + 3 =

72 + 5 =

83 + 2 =

95 + 3 =

일의 자리 숫자의 합이 10

🌷 동전을 붙이며 덧셈을 하시오.

쓰레기 버리기

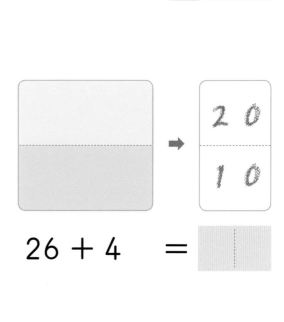

26 + 4   =

심부름 하기

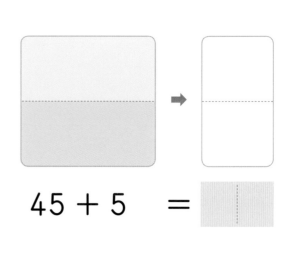

45 + 5   =

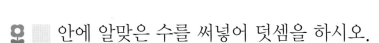

💁 █ 안에 알맞은 수를 써넣어 덧셈을 하시오.

○ 보기 ○

$20 +$ ☐ $= 20$
$7 + 3 = 10$

$27 + 3 = 30$

$10 +$ ☐ $=$
$8 + 2 =$

$18 + 2 =$

$30 +$ ☐ $=$
$1 + 9 =$

$31 + 9 =$

$60 +$ ☐ $=$
$5 + 5 =$

$65 + 5 =$

$40 +$ ☐ $=$
$6 + 4 =$

$46 + 4 =$

$50 +$ ☐ $=$
$3 + 7 =$

$53 + 7 =$

○ '십의 자리 → 일의 자리' 순서로 계산하시오.

2 + **1**

26 + 4 ➡ 26 + 4 = **3 0**

합이 **10** 인 경우   일의 자리에 0

1+1

15 + 5 = **2**

2+1

23 + 7 =

49 + 1 =

34 + 6 =

57 + 3 =

45 + 5 =

66 + 4 =

72 + 8 =

$32 + 8 =$ ☐

$53 + 7 =$ ☐

$65 + 5 =$ ☐

$74 + 6 =$ ☐

$81 + 9 =$ ☐

$48 + 2 =$ ☐

$73 + 7 =$ ☐

$67 + 3 =$ ☐

$55 + 5 =$ ☐

$82 + 8 =$ ☐

$69 + 1 =$ ☐

$76 + 4 =$ ☐

💡 덧셈을 하시오.

36 + 4 =

13 + 7 =

22 + 8 =

44 + 6 =

14 + 6 =

51 + 9 =

68 + 2 =

27 + 3 =

79 + 1 =

64 + 6 =

55 + 5 =

42 + 8 =

78 + 2 =

54 + 6 =

19 + 1 =

63 + 7 =

88 + 2 =

35 + 5 =

43 + 7 =

76 + 4 =

65 + 5 =

52 + 8 =

74 + 6 =

87 + 3 =

오늘은 얼마나 잘했을까요?
칭찬 붙임 딱지를
붙여 주세요!

받아올림이 있는 덧셈

동전을 붙이며 덧셈을 하시오.

준비물 ▶ 붙임 딱지

빨래 개기

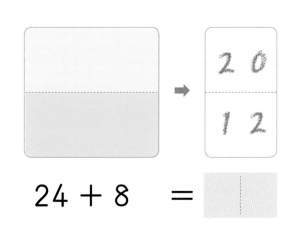

```
      2 0
   ───────
      1 2
```

24 + 8 =

화분에 물주기

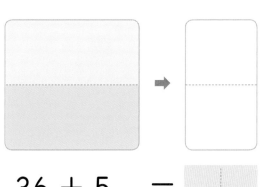

36 + 5 =

☘ 안에 알맞은 수를 써넣어 덧셈을 하시오.

─○ 보기 ○─

$20 + \boxed{} = \boxed{2\,|\,0}$

$8 + \boxed{6} = \boxed{1\,|\,4}$

$28 + 6 = \boxed{3\,|\,4}$

$10 + \boxed{} = \boxed{}$

$9 + \boxed{7} = \boxed{}$

$19 + 7 = \boxed{}$

$20 + \boxed{} = \boxed{}$

$7 + \boxed{9} = \boxed{}$

$27 + 9 = \boxed{}$

$30 + \boxed{} = \boxed{}$

$8 + \boxed{4} = \boxed{}$

$38 + 4 = \boxed{}$

$50 + \boxed{} = \boxed{}$

$6 + \boxed{5} = \boxed{}$

$56 + 5 = \boxed{}$

$60 + \boxed{} = \boxed{}$

$9 + \boxed{9} = \boxed{}$

$69 + 9 = \boxed{}$

3 일차

오 '십의 자리 → 일의 자리' 순서로 계산하시오.

$$2 + \bullet$$

$$29 + 6 \quad \Rightarrow \quad 29 + 6 = \boxed{3 \,|\, 5}$$

합이 ⬤ 보다 ⬤ 경우   9+6의 일의 자리 숫자

1+1

$$14 + 8 = \boxed{2 \,|\, }$$

4+8의 일의 자리 숫자

2+1

$$26 + 7 = \boxed{}$$

6+7의 일의 자리 숫자

$$37 + 4 = \boxed{}$$

$$15 + 9 = \boxed{}$$

$$48 + 5 = \boxed{}$$

$$36 + 8 = \boxed{}$$

$$57 + 9 = \boxed{}$$

$$69 + 2 = \boxed{}$$

47 + 6 =

65 + 9 =

78 + 8 =

56 + 5 =

39 + 3 =

84 + 7 =

67 + 9 =

29 + 4 =

76 + 7 =

69 + 2 =

89 + 8 =

77 + 6 =

3
일차

🌻 덧셈을 하시오.

16 + 8 =

25 + 7 =

39 + 6 =

17 + 9 =

26 + 5 =

34 + 8 =

47 + 7 =

69 + 4 =

53 + 9 =

46 + 5 =

69 + 8 =

78 + 7 =

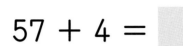
57 + 4 =

65 + 8 =

79 + 6 =

47 + 5 =

1
A04

88 + 7 =

78 + 8 =

49 + 9 =

87 + 7 =

78 + 5 =

58 + 3 =

86 + 8 =

55 + 9 =

🌷 동전을 붙이며 덧셈을 하시오.

준비물 ▶ 붙임 딱지

안마해 드리기

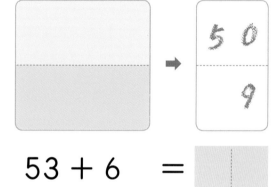

5 0

9

53 + 6 =

동생 돌보기

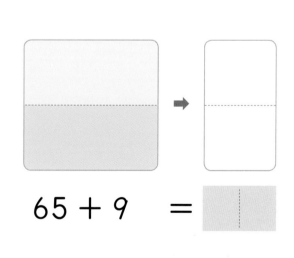

65 + 9 =

😃 █ 안에 알맞은 수를 써넣어 덧셈을 하시오.

┌─○ 보기 ○──────────────────┐
│   │
│   40 + █ = 4 0   │
│   3 + 5 =   8   │
│   ─────────────   │
│   43 + 5 = 4 8   │
│   │
└──────────────────────────┘

60 + █ = █
 2 + 4 = █
─────────────
62 + 4 = █

50 + █ = █
 7 + 3 = █
─────────────
57 + 3 = █

70 + █ = █
 1 + 9 = █
─────────────
71 + 9 = █

60 + █ = █
 4 + 8 = █
─────────────
64 + 8 = █

80 + █ = █
 6 + 5 = █
─────────────
86 + 5 = █

1
A04

🔑 '십의 자리 → 일의 자리' 순서로 계산하시오.

그대로

$34 + 1 = \boxed{3 }$

4+1

그대로

$42 + 4 = \boxed{}$

2+4

$62 + 7 = \boxed{}$

$52 + 3 = \boxed{}$

$45 + 2 = \boxed{}$

$73 + 5 = \boxed{}$

$81 + 3 = \boxed{}$

$94 + 4 = \boxed{}$

5+①

$$54 + 8 \Rightarrow 54 + 8 = 6 \, | \, 2$$

합이 ⑩보다 ● 경우   4+8의 일의 자리 숫자

4+1

$$48 + 9 = 5$$

8+9의 일의 자리 숫자

5+1

$$57 + 8 =$$

7+8의 일의 자리 숫자

$$69 + 7 =$$

$$46 + 6 =$$

$$77 + 8 =$$

$$89 + 5 =$$

$$83 + 9 =$$

$$66 + 8 =$$

덧셈을 하시오.

16 + 7 =

32 + 5 =

25 + 5 =

28 + 7 =

44 + 3 =

31 + 2 =

53 + 9 =

63 + 8 =

72 + 4 =

45 + 5 =

68 + 7 =

83 + 6 =

29 + 9 =

42 + 8 =

65 + 7 =

74 + 3 =

58 + 4 =

86 + 9 =

75 + 5 =

93 + 6 =

88 + 3 =

79 + 8 =

69 + 4 =

87 + 7 =

세로셈

🌷 동전을 붙이며 덧셈을 하시오.

준비물 ▶ 붙임 딱지

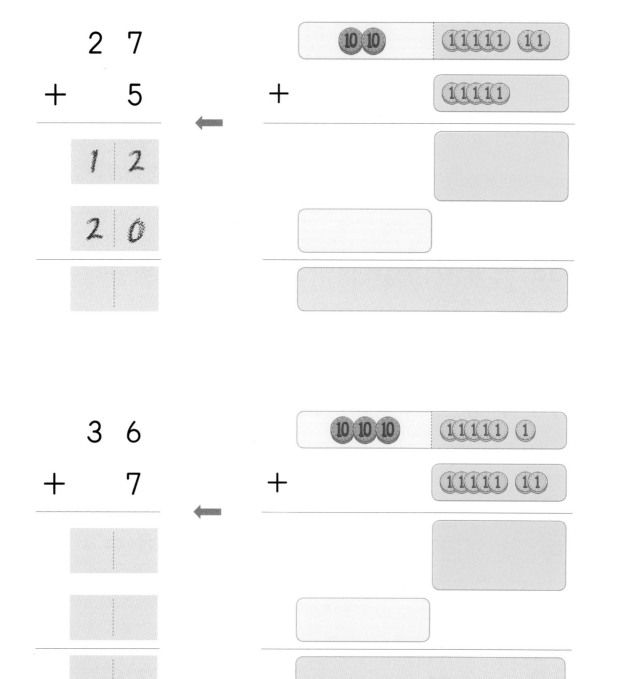

🌻 일의 자리, 십의 자리를 맞추어 덧셈을 하시오.

```
    2 8          2 8          2 8
  +   6    ➡   +   6    ➡   +   6
  ───────      ───────      ───────
    1 4          1 4          1 4
                 2 0          2 0
                            ───────
                              3 4
```

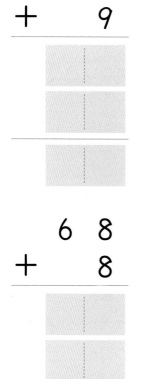

```
    3 5          4 7          5 4
  +   7        +   8        +   9
  ───────      ───────      ───────
    1 2
    3 0
  ───────      ───────      ───────
```

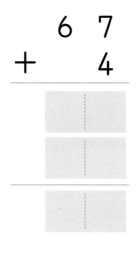

```
    6 7          7 9          6 8
  +   4        +   6        +   8
  ───────      ───────      ───────


  ───────      ───────      ───────
```

😮 일의 자리, 십의 자리를 맞추어 덧셈을 하시오.

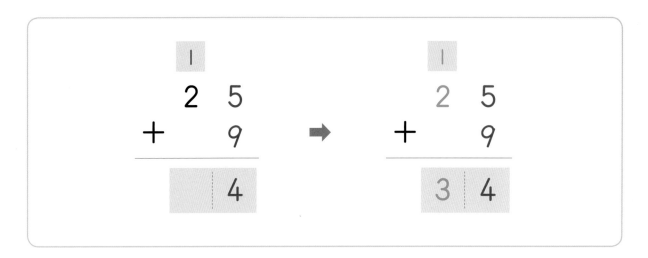

	1	
	1	7
+		8

	2	4
+		6

	3	9
+		7

	2	6
+		6

	4	2
+		9

	5	7
+		6

1
A04

3 5
+   8
___

6 5
+   8
___

5 9
+   9
___

7 7
+   9
___

8 9
+   5
___

6 3
+   7
___

8 8
+   6
___

5 6
+   7
___

7 8
+   4
___

덧셈을 하시오.

```
    1 5            2 6            3 3
  +   6          +   9          +   7
  ─────          ─────          ─────
```

```
    2 9            1 7            4 5
  +   4          +   7          +   8
  ─────          ─────          ─────
```

```
    3 3            5 9            6 8
  +   9          +   7          +   4
  ─────          ─────          ─────
```

1
A04

```
    4 6
  +   9
  _____
```

```
    5 8
  +   5
  _____
```

```
    6 9
  +   8
  _____
```

```
    7 5
  +   6
  _____
```

```
    4 7
  +   7
  _____
```

```
    3 8
  +   3
  _____
```

```
    8 6
  +   8
  _____
```

```
    7 9
  +   9
  _____
```

```
    8 8
  +   9
  _____
```

🐷 2~4주 사고력 연산을 학습하기 전에 기본 연산 실력을 점검해 보세요.

1. $14 + 2 =$

2. $43 + 5 =$

3. $35 + 1 =$

4. $24 + 6 =$

5. $58 + 2 =$

6. $73 + 7 =$

7. $12 + 9 =$

8. $38 + 6 =$

9. $27 + 5 =$

10. $54 + 3 =$

11. $49 + 1 =$

12. $64 + 8 =$

13. $35 + 9 =$

14. $48 + 8 =$

15. $73 + 7 =$

16. $59 + 4 =$

17. $63 + 5 =$

18. $85 + 6 =$

19. $25 + 5 =$

20. $79 + 6 =$

21. $46 + 3 =$

22. $84 + 8 =$

23. $57 + 7 =$

24. $79 + 4 =$

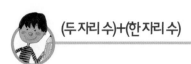

25.
```
   1 3
 +   4
 ─────
```

26.
```
   4 6
 +   2
 ─────
```

27.
```
   7 1
 +   8
 ─────
```

28.
```
   3 5
 +   5
 ─────
```

29.
```
   2 7
 +   3
 ─────
```

30.
```
   5 4
 +   6
 ─────
```

31.
```
   4 8
 +   6
 ─────
```

32.
```
   1 9
 +   9
 ─────
```

33.
```
   3 6
 +   7
 ─────
```

34.
```
   2 5
 +   8
 ─────
```

35.
```
   4 7
 +   4
 ─────
```

36.
```
   8 3
 +   9
 ─────
```

37.
$$\begin{array}{r} 7\ 6 \\ +\quad\ 4 \\ \hline \end{array}$$

38.
$$\begin{array}{r} 5\ 8 \\ +\quad\ 7 \\ \hline \end{array}$$

39.
$$\begin{array}{r} 8\ 6 \\ +\quad\ 9 \\ \hline \end{array}$$

연산 실력 분석

오답 수에 맞게 학습을 진행하시기 바랍니다.

평가	오답 수	학습 방법
최고예요	0 ~ 2개	전반적으로 학습 내용에 대해 정확히 이해하고 있으며 매우 우수합니다. 기본 연산 문제를 자신 있게 풀 수 있는 실력을 갖추었으므로 이제는 사고력을 향상시킬 차례입니다. 2주차부터 차근차근 학습을 진행해 보세요. 학습 [2주차] → [3주차] → [4주차]
잘했어요	3 ~ 4개	기본 연산 문제를 전반적으로 잘 이해하고 풀었지만 약간의 실수가 있는 것 같습니다. 틀린 문제를 다시 한 번 풀어 보고, 문제를 차근차근 푸는 습관을 갖도록 노력해 보세요. 매스티안 홈페이지에서 제공하는 보충 학습으로 연산 실력을 향상시킨 후 2, 3, 4주차 학습을 진행해 주세요. 학습 [틀린 문제 복습] → [보충 학습] → [2주차] → …
노력해요	5개 이상	개념을 정확하게 이해하고 있지 않아 연산을 하는데 어려움이 있습니다. 개념을 이해하고 연산 문제를 반복해서 연습해 보세요. 매스티안 홈페이지에서 제공하는 보충 학습이 연산 실력을 향상시키는데 도움이 될 것입니다. 여러분도 곧 연산왕이 될 수 있습니다. 조금만 힘을 내 주세요. 학습 [1주차 원리 중심 복습] → [보충 학습] → [2주차] → …

매스티안 홈페이지 : www.mathtian.com

학습관리표

일 자			소요 시간	틀린 문항 수	확인
❶ 일차	월	일	:		
❷ 일차	월	일	:		
❸ 일차	월	일	:		
❹ 일차	월	일	:		
❺ 일차	월	일	:		

2 주

성냥개비 셈

🌷 덧셈을 하여 알맞은 성냥개비 수를 써넣으시오.

0 1 2 3 4 5 6 7 8 9

─○ 보기 ○─

1 2 + 3 = 1 5

1 0 + 9 = ☐ ☐

2 3 + 5 = ☐ ☐

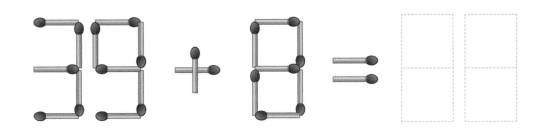

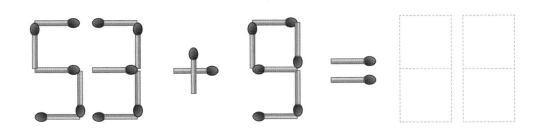

덧셈을 하여 알맞은 성냥개비 수를 써넣으시오.

보기

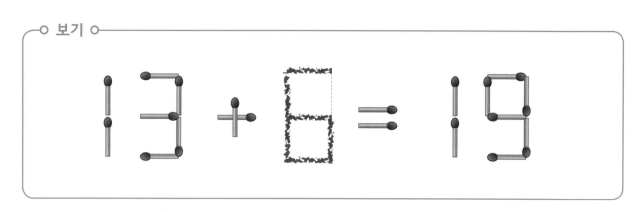

13 + 6 = 19

27 + ☐ = 30

46 + ☐ = 53

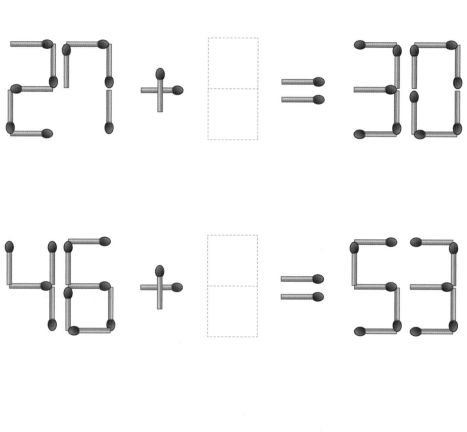

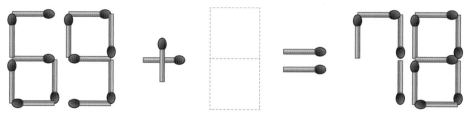

69 + ☐ = 78

❖ 올바른 계산 값을 따라가며 아기 곰을 엄마 곰에게 데려다 주시오.

길 찾기

🌷 올바른 덧셈식이 되도록 선을 그어 보시오.

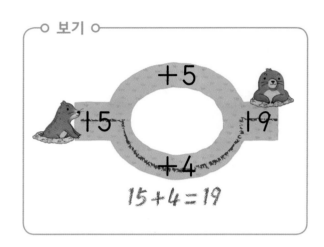

보기

+5
+5 |9
+4
15+4=19

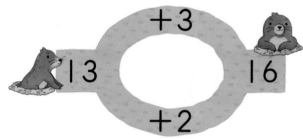

+3
|3 |6
+2

+4
26   30
+6

+5
28   36
+8

+9
45   52
+7

+9
58   67
+8

2
A04

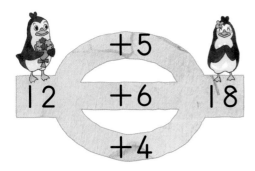

12 +5
    +6   18
    +4

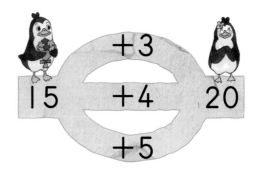

15 +3
    +4   20
    +5

24 +7
    +5   31
    +6

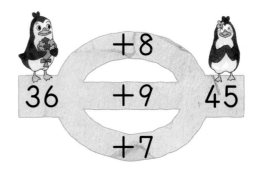

36 +8
    +9   45
    +7

59 +3
    +7   62
    +5

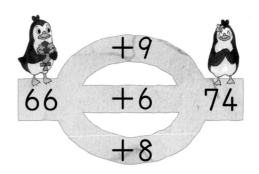

66 +9
    +6   74
    +8

우주선이 지나간 두 수의 합이 🪨 안의 수가 되도록 선을 그어 보시오.

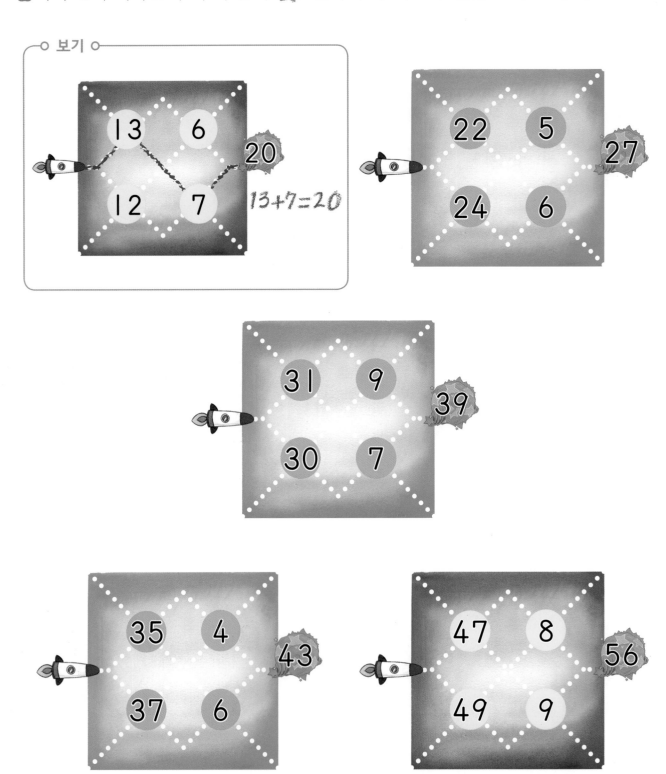

덧셈을 하여 관계있는 것끼리 연결하시오.

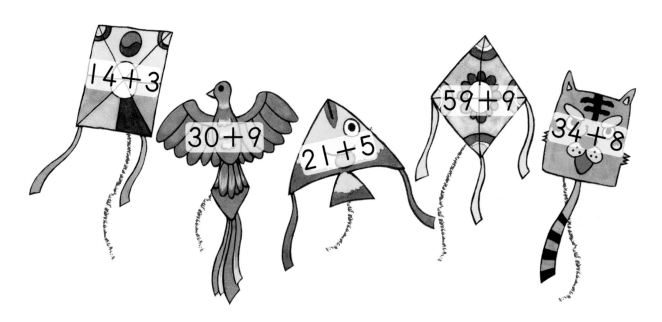

2

A04

올바른 식 찾기

🌷 주어진 식 중 올바른 식을 찾아 ◯표 하시오.

○ 보기 ○

$12+8=20$

$13+9=21$
22

$19+1=21$

$12+6=18$

$26+4=30$

$23+9=42$

$31+8=49$

$35+9=44$

$47+5=52$

$44+6=51$

주어진 계산 값이 나오는 덧셈식을 찾아 ◯표 하시오.

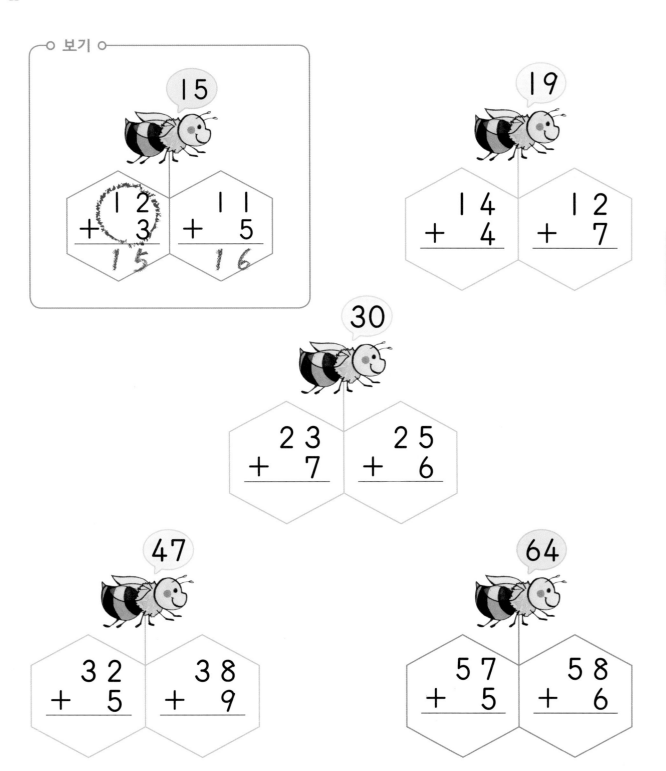

👥 1개의 수를 ✕표로 지워 남은 두 수의 합이 주어진 수가 되도록 하시오.

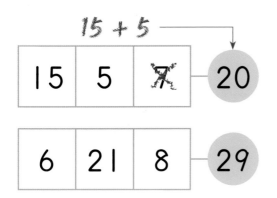

15 + 5

| 15 | 5 | ✗ | 20 |

| 6 | 21 | 8 | 29 |

| 7 | 9 | 30 | 37 |

| 4 | 17 | 6 | 23 |

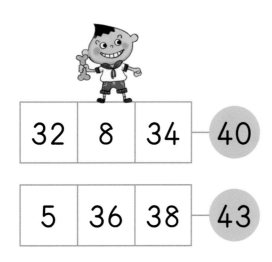

| 32 | 8 | 34 | 40 |

| 5 | 36 | 38 | 43 |

| 45 | 48 | 7 | 55 |

| 9 | 53 | 55 | 62 |

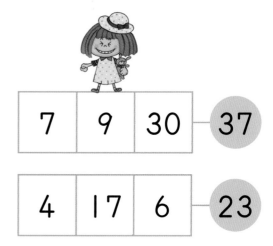

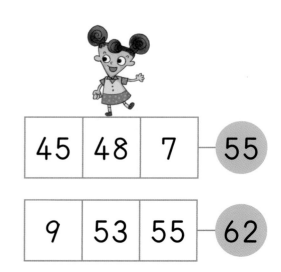

💠 계산 결과가 같은 칸을 찾아 해당하는 글자를 써넣고 수수께끼를 해결해 보시오.

불	
	1 2
+	5
	1 7

키	
	2 7
+	3

일	
	2 0
+	8

느	
	4 5
+	9

을	
	1 3
+	6

는	
	2 6
+	7

으	
	3 0
+	4

비	
	4 1
+	9

2
A04

수수께끼	17	19		28	34	30	33		50	54	
	불										?

답 ➡

측정 셈

🌷 안에 알맞은 수를 써넣으시오.

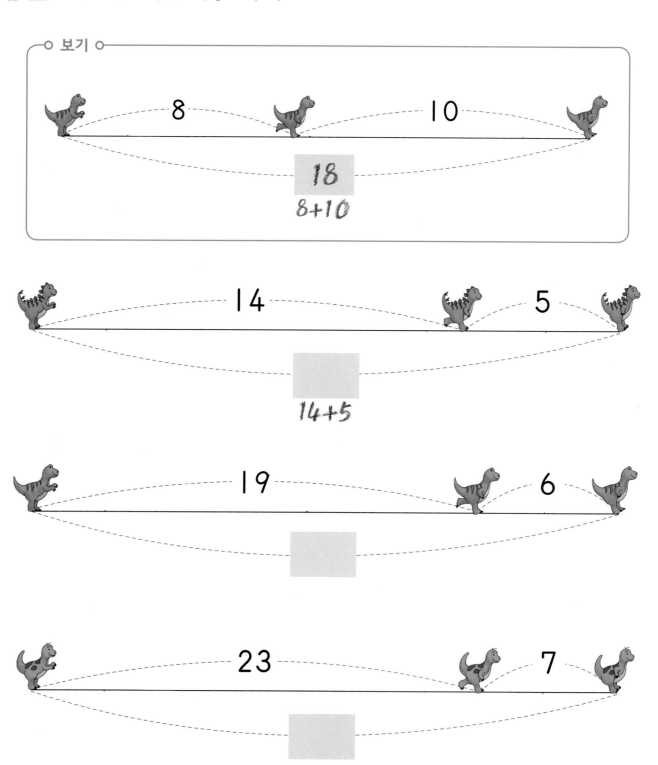

보기

8   10

18
8+10

14   5

14+5

19   6

23   7

2
A04

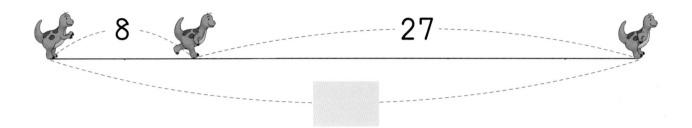

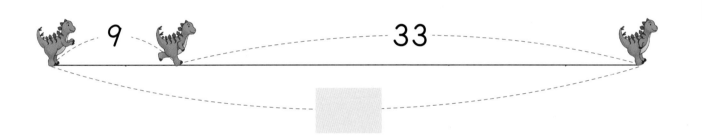

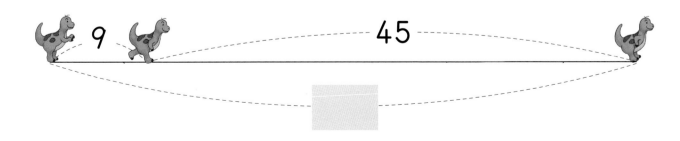

양팔 저울이 수평을 이루도록 🛢 안에 알맞은 수를 써넣으시오.

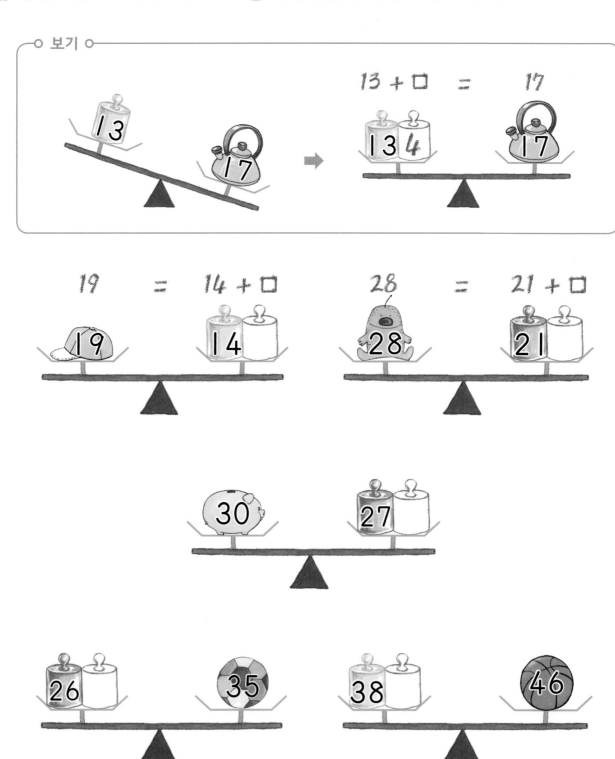

보기

$$13 + \square = 17$$

13

17

13 4 = 17

$$19 = 14 + \square$$

19 = 14

$$28 = 21 + \square$$

28 = 21

30 = 27

26 = 35

38 = 46

표에서 계산한 값의 색깔을 찾아 알맞게 색칠해 보시오.

준비물 ▶ 색연필

$$\begin{array}{r} 4\ 7 \\ +\quad 8 \\ \hline \end{array}$$

$$\begin{array}{r} 3\ 4 \\ +\quad 9 \\ \hline \end{array}$$

$$\begin{array}{r} 5\ 6 \\ +\quad 4 \\ \hline \end{array}$$

$$\begin{array}{r} 2\ 3 \\ +\quad 7 \\ \hline 3\ 0 \end{array}$$

$$\begin{array}{r} 1\ 5 \\ +\quad 8 \\ \hline \end{array}$$

2
A04

30	23	43	60	55
○	●	●	●	●

5
일차

규칙 셈

🌷 규칙을 찾아 ☐ 안에 알맞은 수를 써넣으시오.

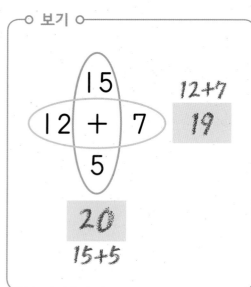

보기

```
        15
   12  +  7      12+7
        5        19

        20
       15+5
```

```
        20
   14  +  3      14+3

        6
      20+6
```

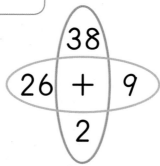

```
        38
   26  +  9

        2
```

```
        49
   37  +  7

        4
```

```
        67
   55  +  5

        8
```

60 • A04 (두 자리 수)+(한 자리 수)

규칙을 찾아 ▨ 안에 알맞은 수를 써넣으시오.

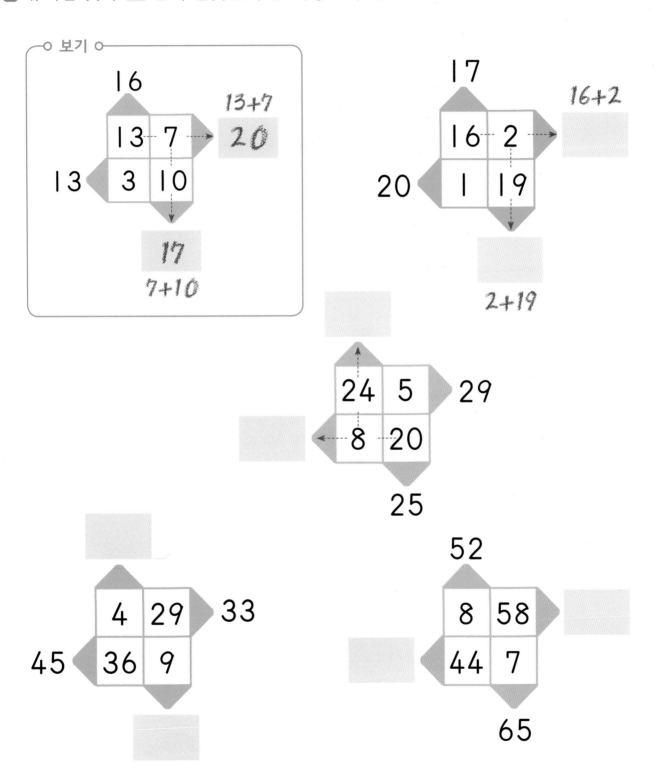

보기

16
13+7
13 | 7 → 20
13 ◀ 3 | 10
17
7+10

17
16+2
16 | 2 → ▨
20 ◀ 1 | 19
▨
2+19

▨
24 | 5 → 29
▨ ◀ 8 | 20
25

▨
4 | 29 → 33
45 ◀ 36 | 9
▨

52
8 | 58 → ▨
▨ ◀ 44 | 7
65

A04

🌼 규칙을 찾아 ⬜ 안에 알맞은 수를 써넣으시오.

보기

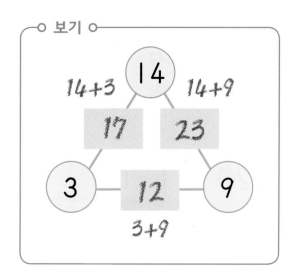

14+3 ⬜14⬜ 14+9
17   23
3 —— 12 —— 9
3+9

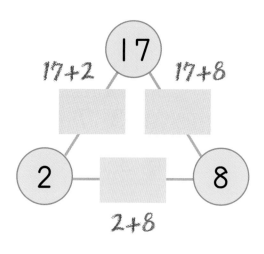

17+2 ⬜17⬜ 17+8
2 —— ⬜ —— 8
2+8

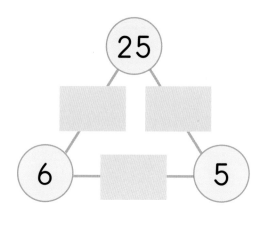

25
6 —— ⬜ —— 5

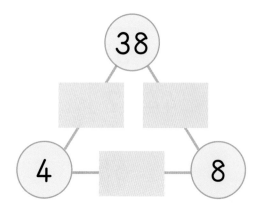

38
4 —— ⬜ —— 8

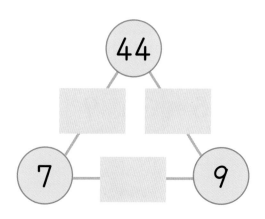

44
7 —— ⬜ —— 9

주어진 가로·세로 열쇠를 보고 퍼즐을 완성하시오.

가로 열쇠	세로 열쇠
① 20＋5 ＝25	㉠ 51＋2
② 30＋6	㉡ 57＋7
③ 38＋9	㉢ 29＋6
④ 49＋5	㉣ 39＋9
⑤ 74＋7	

2
A04

학습관리표

	일 자		소요 시간	틀린 문항 수	확인
❶ 일차	월	일	:		
❷ 일차	월	일	:		
❸ 일차	월	일	:		
❹ 일차	월	일	:		
❺ 일차	월	일	:		

③ 주

도미노 덧셈

🌷 합이 주어진 수가 되는 두 수를 찾아 색칠하시오.

○ 보기 ○

15 =10+5

13	12	4
5	6	10

18

10	6	13
9	11	8

24

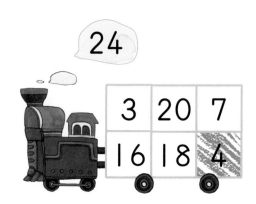

3	20	7
16	18	4

30

7	25	4
5	19	22

50

46	7	42
5	47	4

70

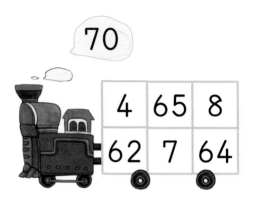

4	65	8
62	7	64

27

15	5	18
9	8	16

3
A04

32

7	5	25
23	3	28

45

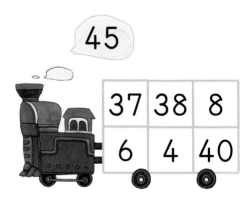

37	38	8
6	4	40

72

9	68	61
66	5	4

이웃한 도미노 수의 합이 주어진 수가 되도록 빈칸에 알맞은 수를 써넣으시오.

온라인 활동지

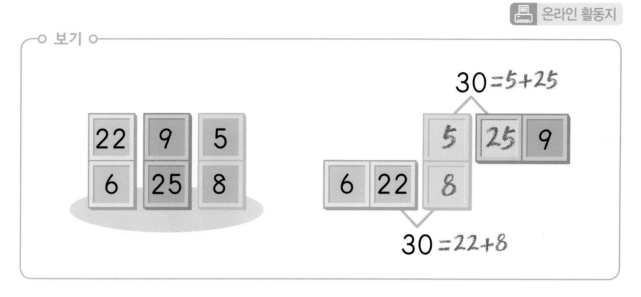

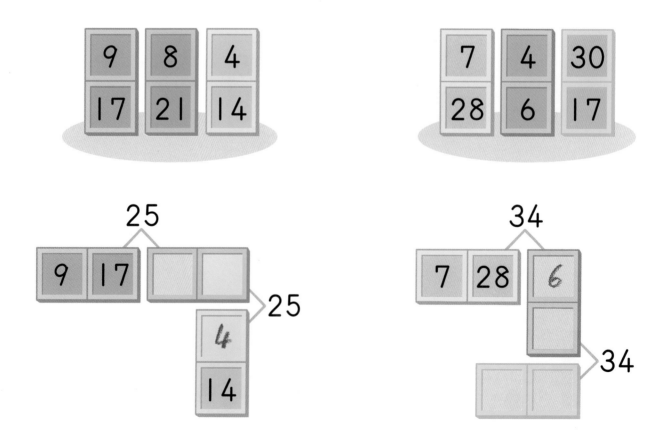

35	7	18
24	6	3

17	4	48
5	30	9

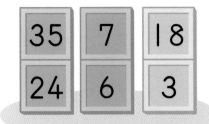

27

18 3 24

42

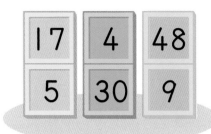

39

4 30

53

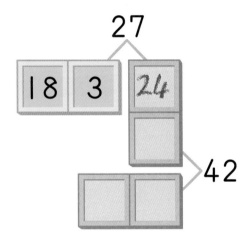

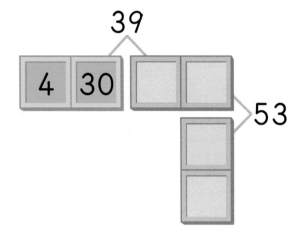

3

A04

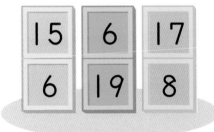

15	6	17
6	19	8

50	4	50
9	47	7

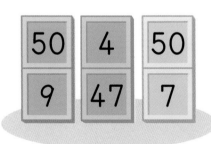

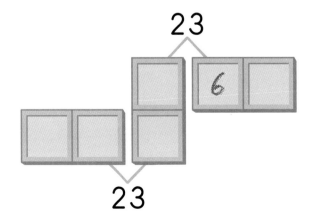

23

6

23

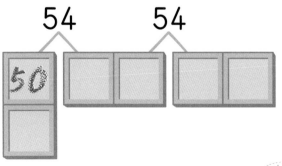

54   54

50

목표수 만들기

🌷 주어진 숫자 카드를 모두 사용하여 목표수를 만들어 보시오.

○ 보기 ○

| 3 | 1 | 4 |

	1	3
+		4
목표수	1	7

| 2 | 7 | 1 |

	1	
+		
목표수	1	9

| 8 | 2 | 3 |

+		
목표수	4	0

| 4 | 6 | 5 |

+		
목표수	6	0

```
    9    1    3

       □ □
    +    □
   ────────
목표수  2  2
```

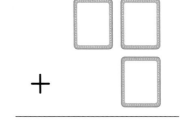

```
    2    6    5

       □ □
    +    □
   ────────
목표수  3  1
```

3

A04

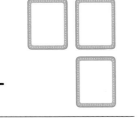

```
    7    4    8

       □ □
    +    □
   ────────
목표수  5  5
```

```
    9    7    6

       □ □
    +    □
   ────────
목표수  7  6
```

💁 주어진 계산기의 버튼을 알맞은 순서로 눌러 계산 결과가 나오도록 하시오.

보기

누르는 순서

$$12 + 6 =$$

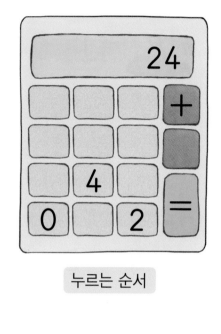

누르는 순서

_____

누르는 순서

_____

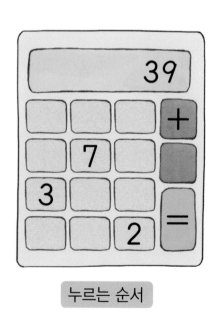

누르는 순서

_____

누르는 순서

_____

누르는 순서

_____

누르는 순서

_____

누르는 순서

_____

벌레먹은 셈

🌷 ⬜ 안에 알맞은 숫자를 써넣으시오.

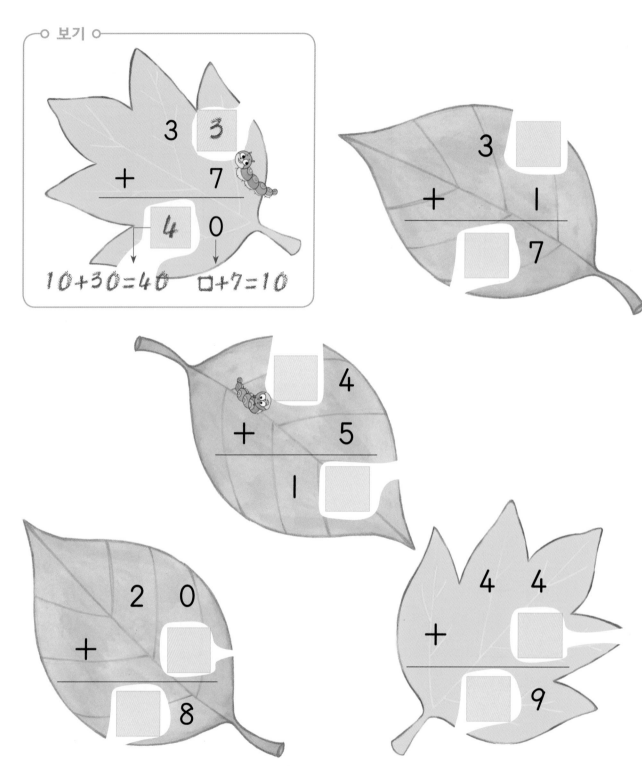

보기

```
  3   3
+     7
───────
    4   0
```

10+30=40   □+7=10

```
  3   ⬜
+     1
───────
  ⬜   7
```

```
  ⬜   4
+     5
───────
  1   ⬜
```

```
  2   0
+     ⬜
───────
  ⬜   8
```

```
  4   4
+     ⬜
───────
  ⬜   9
```

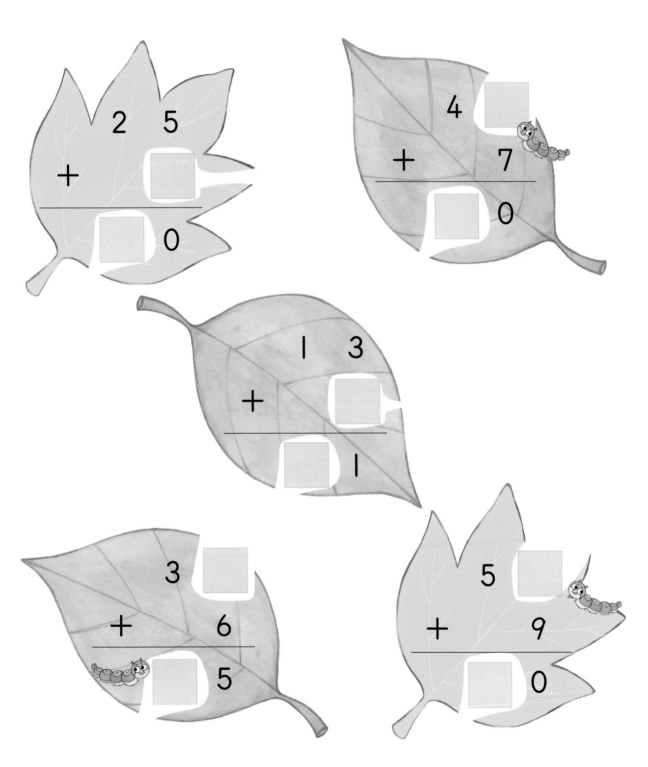

$$\begin{array}{r} 2\ 5 \\ +\ \ \square \\ \hline \square\ 0 \end{array}$$

$$\begin{array}{r} 4\ \square \\ +\ \ 7 \\ \hline \square\ 0 \end{array}$$

$$\begin{array}{r} 1\ 3 \\ +\ \ \square \\ \hline \square\ 1 \end{array}$$

$$\begin{array}{r} 3\ \square \\ +\ \ 6 \\ \hline \square\ 5 \end{array}$$

$$\begin{array}{r} 5\ \square \\ +\ \ 9 \\ \hline \square\ 0 \end{array}$$

3
A04

ㅇ ▨ 안에 알맞은 숫자를 써넣으시오.

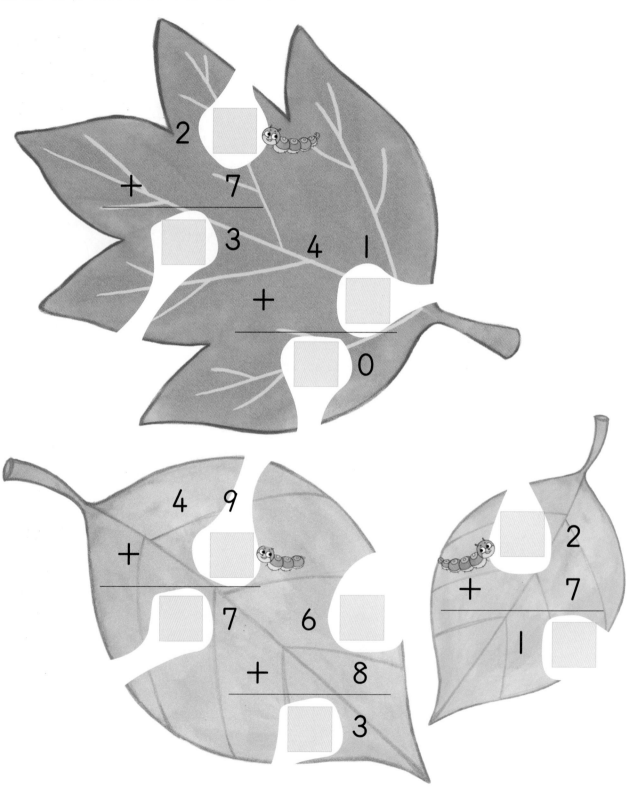

$$2\ \square$$
$$+\quad 7$$
$$\square\ 3$$

$$4\ 1$$
$$+\ \square$$
$$\square\ 0$$

$$4\ 9$$
$$+\ \square$$
$$\square\ 7$$

$$6\ \square$$
$$+\quad 8$$
$$\square\ 3$$

$$\square\ 2$$
$$+\quad 7$$
$$1\ \square$$

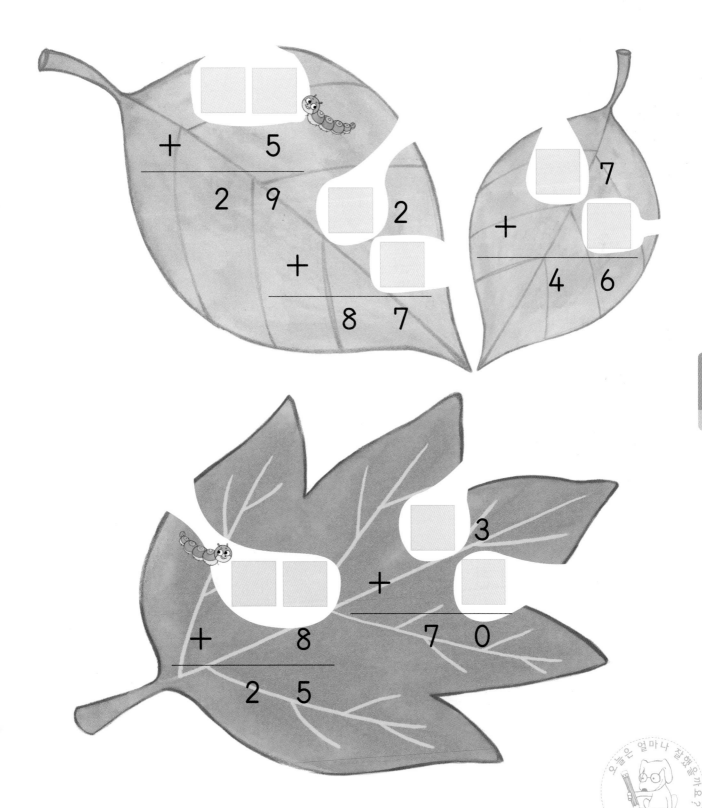

3

A04

도형 셈

🌷 각 모양 안의 수의 합이 같도록 색칠한 부분에 알맞은 수를 써넣으시오.

○ 보기 ○

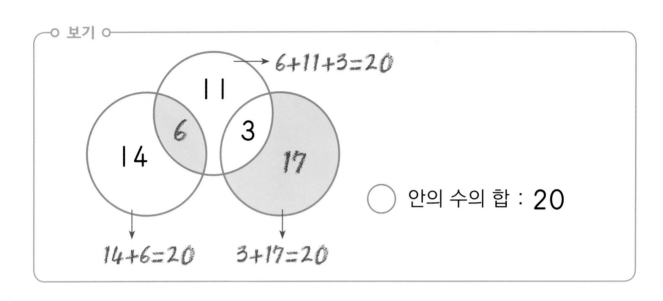

→ 6+11+3=20

11

6   3

14   17

○ 안의 수의 합 : 20

14+6=20   3+17=20

7+8+2=17

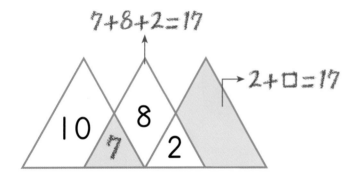

→ 2+□=17

10   7   8   2

△ 안의 수의 합 : 17

19+6=25

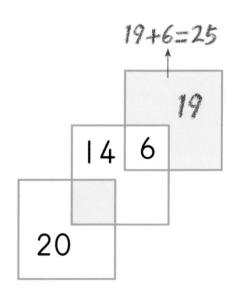

19

14   6

20

□ 안의 수의 합 : 25

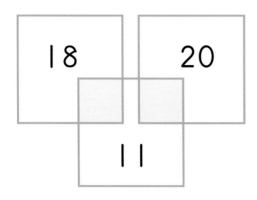

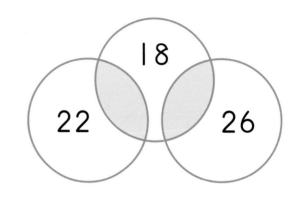

□ 안의 수의 합 : 27

◯ 안의 수의 합 : 30

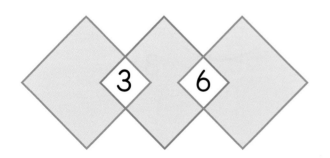

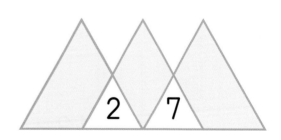

◇ 안의 수의 합 : 21

△ 안의 수의 합 : 32

각 모양 안의 수의 합이 같도록 색칠한 부분에 알맞은 수를 써넣으시오.

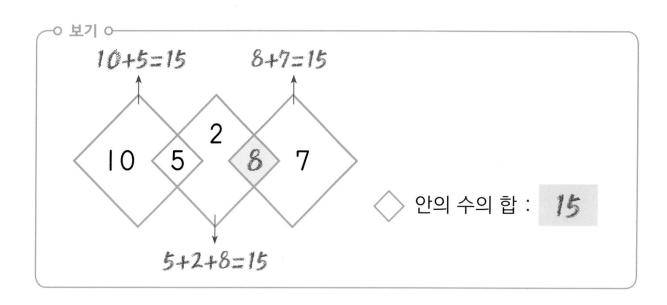

보기

$10+5=15$　　$8+7=15$

10　5　2　8　7

$5+2+8=15$

◇ 안의 수의 합 : 15

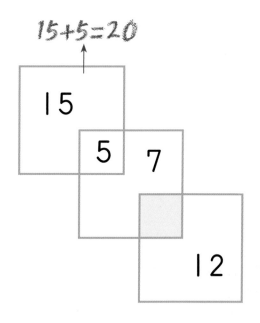

$15+5=20$

15　5　7

12

☐ 안의 수의 합 : 20

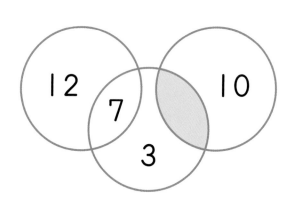

12　7　10

3

◯ 안의 수의 합 :

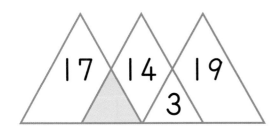

17 14 19
3

△ 안의 수의 합 :

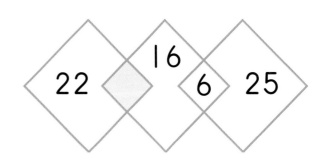

22 16 6 25

◇ 안의 수의 합 :

3
A04

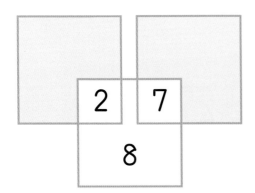

2 7
8

□ 안의 수의 합 :

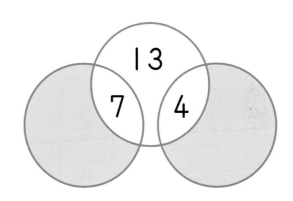

13
7 4

○ 안의 수의 합 :

5 일차

가장 큰 값, 가장 작은 값

🌷 출발점에서 도착점까지 쓰인 수의 합이 **가장 작도록** 길을 통과하고, ▨ 안에 합을 써넣으시오. (단, □은 5개 만에 통과해야 합니다.)

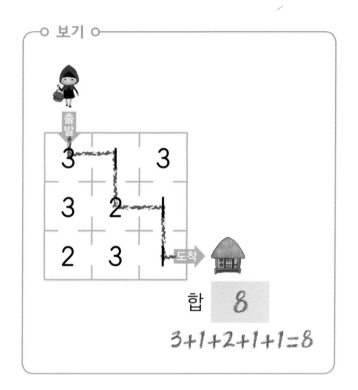

보기

3+1+2+1+1=8

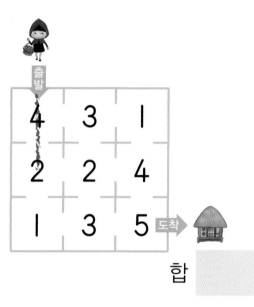

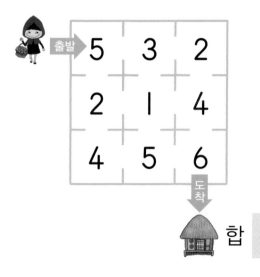

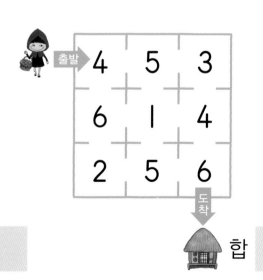

출발점에서 도착점까지 쓰인 수의 합이 **가장 크도록** 길을 통과하고, 안에 합을 써넣으시오. (단, □은 5개 만에 통과해야 합니다.)

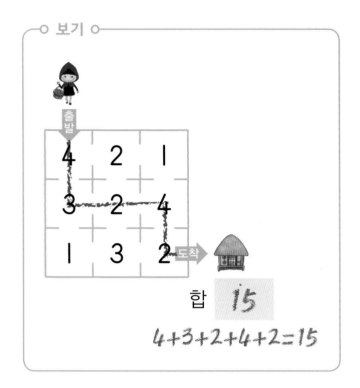

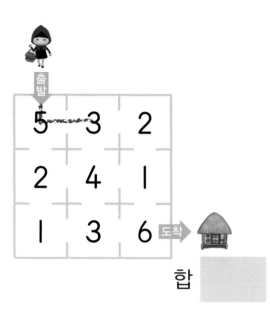

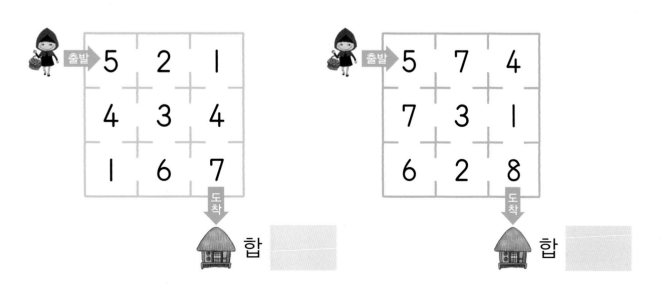

3

A04

 온라인 활동지

색종이를 2번 잘라 세 수의 합이 **가장 크게** 또는 **가장 작게** 되도록 만드시오.

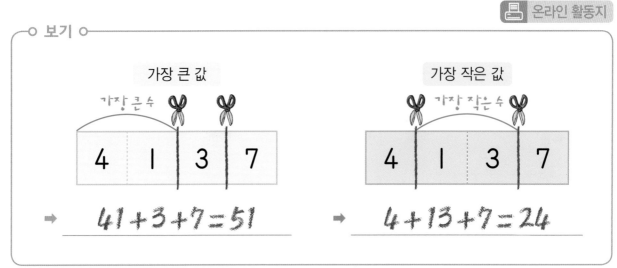

가장 큰 값

3	1	4	9

➡ _____

가장 작은 값

1	7	8	6

➡ _____

가장 큰 값

2	5	3	8

➡ _____

가장 큰 값

| 2 | 6 | 3 | 5 |

➡ _____

가장 작은 값

| 2 | 6 | 3 | 5 |

➡ _____

3
A04

 가장 큰 값

| 6 | 1 | 7 | 4 |

➡ _____

가장 작은 값

| 6 | 1 | 7 | 4 |

➡ _____

학습관리표

일 자			소요 시간	틀린 문항 수	확인
❶ 일차	월	일	:		
❷ 일차	월	일	:		
❸ 일차	월	일	:		
❹ 일차	월	일	:		
❺ 일차	월	일	:		

4주

약속 셈

🌷 약속에 맞게 식을 계산하여 ▨ 안에 알맞은 수를 써넣으시오.

약속
$$가 ◆ 나 = 가 + 나 + 7$$

$$10 ◆ 9 = \boxed{10} + \boxed{9} + 7 = \boxed{26}$$

$$30 ◆ 7 = \boxed{} + \boxed{} + 7 = \boxed{}$$

$$16 ◆ 8 = \boxed{} + \boxed{} + 7 = \boxed{}$$

약속
$$가 ◉ 나 = 5 + 나 + 가$$

$$8 ◉ 12 = 5 + \boxed{12} + \boxed{8} = \boxed{}$$

$$6 ◉ 27 = 5 + \boxed{} + \boxed{} = \boxed{}$$

약속 가 ★ 나 = 가 + 나 + 나

20 ★ 8 = 20 + 8 + 8 = ⬜

14 ★ 6 = ⬜ + ⬜ + ⬜ = ⬜

37 ★ 9 = ⬜ + ⬜ + ⬜ = ⬜

4

A04

약속 가 ♥ 나 = 나 + 가 + 나

25 ♥ 5 = 5 + 25 + ⬜ = ⬜

49 ♥ 4 = ⬜ + ⬜ + ⬜ = ⬜

1
일차

약속에 맞게 식을 계산하여 □ 안에 알맞은 수를 써넣으시오.

약속 │ 가 ◆ 나 = 가 + 4 + 나

10 ◆ 5 = □
└→ 10 + 4 + 5

14 ◆ 2 = □

25 ◆ 7 = □

36 ◆ 9 = □

42 ◆ 6 = □

약속 │ 가 ◉ 나 = 8 + 나 + 가

5 ◉ 10 = □
└→ 8 + 10 + 5

8 ◉ 12 = □

7 ◉ 16 = □

9 ◉ 35 = □

약속   가 ♥ 나 = 가 + 나 + 나

13 ♥ 7 = ☐
↳ 13 + 7 + 7

20 ♥ 3 = ☐

32 ♥ 5 = ☐

46 ♥ 4 = ☐

54 ♥ 8 = ☐

4

A04

약속   가 ★ 나 = 가 + 나 + 가

3 ★ 20 = ☐
↳ 3 + 20 + 3

4 ★ 22 = ☐

9 ★ 31 = ☐

8 ★ 44 = ☐

식 완성하기

🌷 주어진 숫자 카드를 모두 사용하여 덧셈식을 완성하시오.

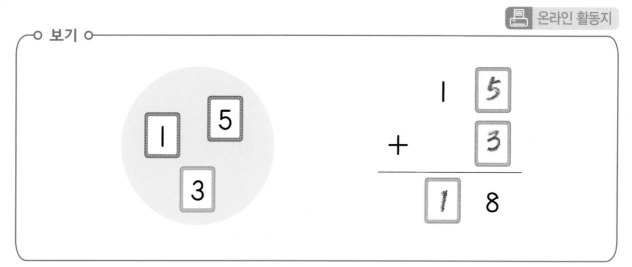

┌─○ 보기 ○───┐

1 5 3

```
    1  5
  + [] 3
  ─────────
    [1] 8
```

└──┘

2 1 6

```
    2  6
  + [] []
  ─────────
    [] 7
```

4 0 7

```
    4  3
  + [] []
  ─────────
    5  []
```

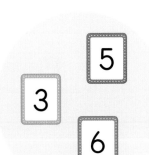

```
    □   7
 +      □
 ―――――――
    6   □
```

```
    □   □
 +      8
 ―――――――
    5   □
```

```
    □   5
 +      □
 ―――――――
    □   4
```

4

A04

😀 올바른 식이 되도록 ⬜ 카드와 바꾸어야 하는 카드 1장을 찾아 색칠하시오.

🖨 온라인 활동지

○ 보기 ○

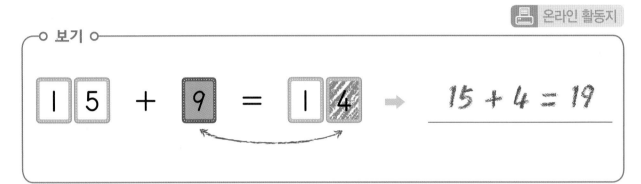

$$1\ 5 \ + \ 9 \ = \ 1\ 4 \quad \rightarrow \quad 15 + 4 = 19$$

$$1\ 6 \ + \ 3 \ = \ 1\ 3 \quad \rightarrow \quad \underline{\hspace{4cm}}$$

$$2\ 5 \ + \ 3 \ = \ 3\ 7 \quad \rightarrow \quad \underline{\hspace{4cm}}$$

$$2\ 2 \ + \ 7 \ = \ 1\ 8 \quad \rightarrow \quad \underline{\hspace{4cm}}$$

$$3\ 5 \ + \ 3 \ = \ 4\ 9 \quad \rightarrow \quad \underline{\hspace{4cm}}$$

4

A04

$4\ 8\ +\ 8\ =\ 4\ 0$　→　_____

$3\ 1\ +\ 9\ =\ 2\ 0$　→　_____

$6\ 7\ +\ 8\ =\ 6\ 4$　→　_____

$5\ 3\ +\ 1\ =\ 6\ 8$　→　_____

$3\ 4\ +\ 9\ =\ 5\ 2$　→　_____

오늘은 얼마나 잘했을까요?
칭찬 붙임 딱지를
붙여 주세요!

도형이 나타내는 숫자

🌷 도형이 나타내는 숫자를 구하고, 덧셈식을 완성하시오. (단, 같은 모양은 같은 숫자를 나타냅니다.)

○ 보기 ○

$$
\begin{array}{r}
1\ \diamond \\
+\quad 8 \\
\hline
\diamond\ 0
\end{array}
$$

$\diamond = 2$

$\diamond + 8 = 10$

덧셈식

$$
\begin{array}{r}
1\ 2 \\
+\quad 8 \\
\hline
2\ 0
\end{array}
$$

$$
\begin{array}{r}
3\ \heartsuit \\
+\quad 7 \\
\hline
\heartsuit\ 1
\end{array}
$$

$\heartsuit = \boxed{}$

덧셈식

$$
\begin{array}{r}
8\ 2 \\
+\quad \star \\
\hline
\star\ 1
\end{array}
$$

$\star = \boxed{}$

덧셈식

$$\begin{array}{r} \bigstar\ 7 \\ +\quad 8 \\ \hline 6\ \bigstar \end{array}$$

→ $\bigstar =$ [ ]

덧셈식

$$\begin{array}{r} \blacklozenge\ 8 \\ +\quad 9 \\ \hline 8\ \blacklozenge \end{array}$$

→ $\blacklozenge =$ [ ]

덧셈식

$$\begin{array}{r} \heartsuit\ 4 \\ +\quad \heartsuit \\ \hline 7\ 0 \end{array}$$

→ $\heartsuit =$ [ ]

덧셈식

4

A04

♀ 도형 안에 들어갈 수 있는 숫자를 모두 찾아 ○표 하시오.

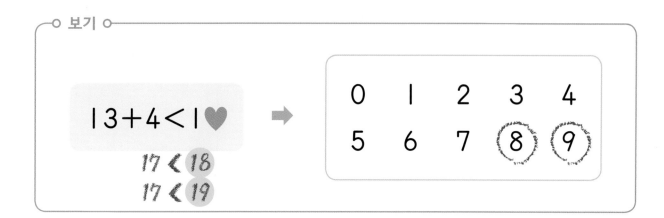

─○ 보기 ○─

| 13+4<1♥ |

17 < 18
17 < 19

| 0 | 1 | 2 | 3 | 4 |
| 5 | 6 | 7 | ⑧ | ⑨ |

─────

| 34+2<3◆ |

| 0 | 1 | 2 | 3 | 4 |
| 5 | 6 | 7 | 8 | 9 |

─────

| 28+4>♥2 |

| 0 | 1 | 2 | 3 | 4 |
| 5 | 6 | 7 | 8 | 9 |

─────

| 46+9<5◆ |

| 0 | 1 | 2 | 3 | 4 |
| 5 | 6 | 7 | 8 | 9 |

$2\blacklozenge+3<26$ ➡

0	1	2	3	4
5	6	7	8	9

$4\heartsuit+5<49$ ➡

0	1	2	3	4
5	6	7	8	9

$\blacklozenge5+7<52$ ➡

0	1	2	3	4
5	6	7	8	9

$\heartsuit6+9<65$ ➡

0	1	2	3	4
5	6	7	8	9

4

A04

4

일차

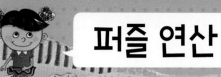

퍼즐 연산

🌷 각 줄의 수의 합이 오른쪽과 아래쪽의 수가 되도록 ⬭ 안에 알맞은 수를 써넣으시오.

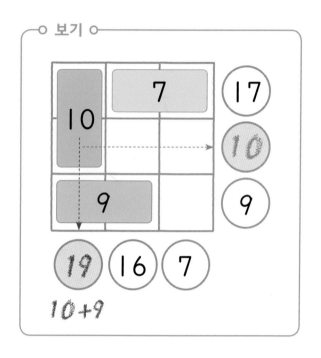

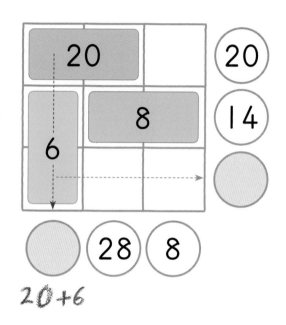

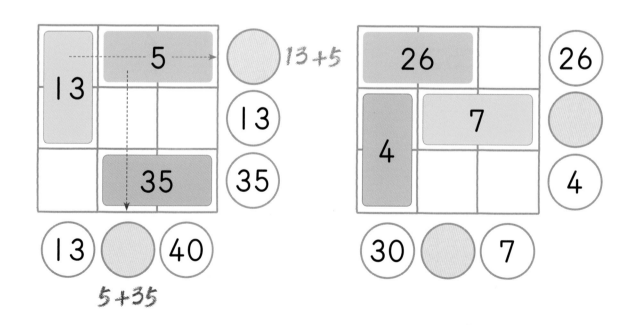

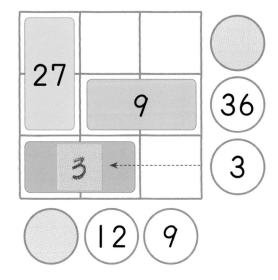

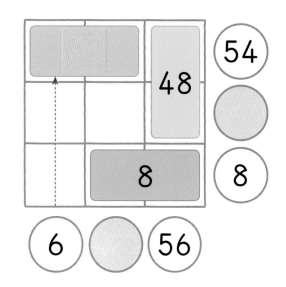

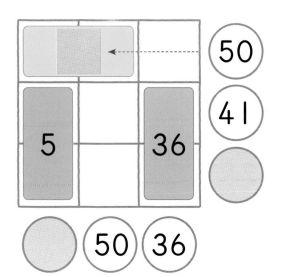

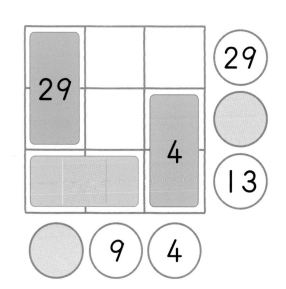

4
A04

각 줄의 수의 합이 오른쪽과 아래쪽의 수가 되도록 주어진 수 막대 2개를 놓아 보시오.

온라인 활동지

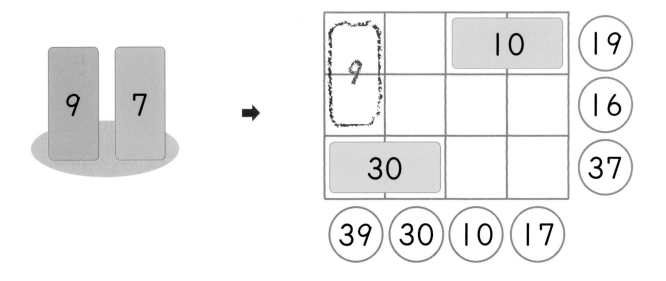

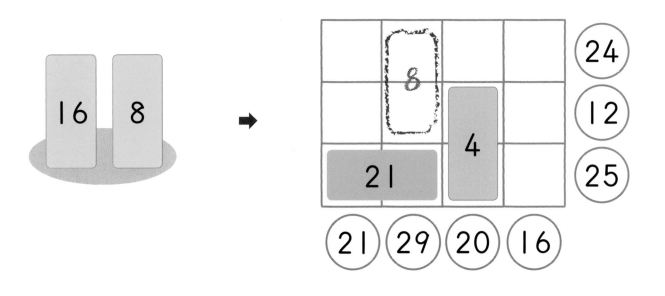

5   28

➡

				33
3				8
		45		48

31   28   50   45

7   6

➡

39				39
	9			55
				13

45   15   9   7

오늘은 얼마나 잘했을까요?
칭찬 붙임 딱지를
붙여 주세요!

5 일차

마방진

♣ 가로, 세로 세 수의 합이 ⬤ 안의 수가 되도록 ▢ 안에 알맞은 수를 써넣으시오.

◦ 보기 ◦

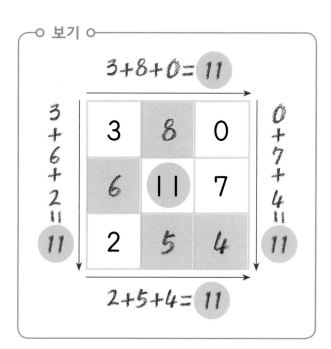

$3+8+0=$ ⓫

3	8	0
6	⓫	7
2	5	4

$3+6+2=$ ⓫ (왼쪽 세로)

$0+7+4=$ ⓫ (오른쪽 세로)

$2+5+4=$ ⓫

$4+6+2=12$

4	6	2
5	⑫	
3		1

$4+5+3=$ ⑫

1		7
9	⑬	4
		2

$7+4+2=$ ⑬

3	5	
	⑭	7
9		

	8	
7	17	10
6		

	8	
11	18	
	12	5

2·4·6·8·
10·12·14·16

4

A04

4		12
10	23	
	8	

	13	
	25	12
11		6

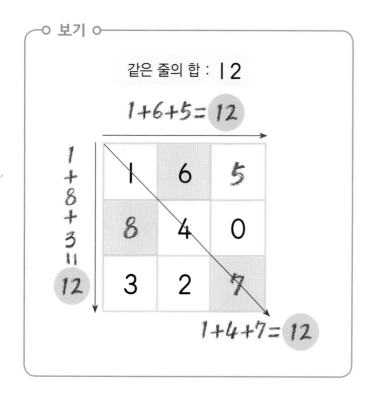

5 일차

🌸 가로, 세로, 대각선 세 수의 합이 주어진 수가 되도록 ▮ 안에 알맞은 수를 써넣으시오.

○ 보기 ○

같은 줄의 합 : 12

1+6+5=12

1+8+3=12

1	6	5
8	4	0
3	2	7

1+4+7=12

같은 줄의 합 : 15

8+1+6=15

8	1	6
	5	7
4	9	

같은 줄의 합 : 18

7		3
2	6	10
	4	

같은 줄의 합 : 21

	11	
5		9
10		8

❖ 가로, 세로, 대각선의 세 수의 합이 주어진 수가 되도록 4개의 수를 지우시오.

── 보기 ──

같은 줄의 합 : 10

$4+1+5=10$

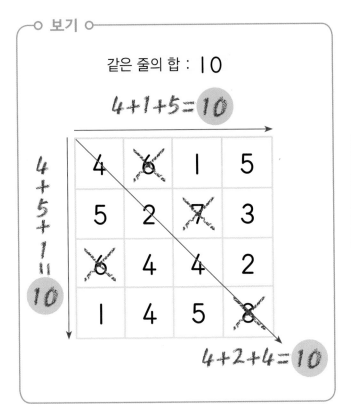

$4+5+1=10$

$4+2+4=10$

같은 줄의 합 : 13

$5+2+6=13$

5	2	✕	6
7	4	1	5
1	6	6	✕
3	5	6	2

$6+5+2=13$

같은 줄의 합 : 17

4	8	5	1
7	2	6	4
3	5	6	6
6	4	3	7

4

A04

memo

A04
정답

지영이는 오늘 아침 일찍 일어나 아빠 구두를 닦았어요. 얼마나 열심히 닦았는지 구두에서 빛이 나고 있네요. 지영이 동생 승우는 오늘 밖에 나가 놀지도 않고 엄마 청소를 도와 드렸어요. 아빠와 엄마는 아이들에게 너무 고마워 동전 쿠폰을 주시네요. 지영이와 승우는 오늘 받은 동전 쿠폰까지 모두 얼마를 모은 것일까요?

학습가이드

받아올림이 없는 (몇십 몇)+(몇)의 계산을 학습하는 과정입니다. 동전 모형을 통하여 각 자리의 숫자끼리 더하는 계산 원리를 이해하고, 이를 형식화할 때에는 십의 자리에서부터 일의 자리 순서로 계산할 수 있도록 지도해 주세요. 받아올림이 없는 두 자리 수와 한 자리 수의 덧셈이므로 자릿수만 잘 맞추어 계산하면 쉽게 해결할 수 있습니다.

$$10 + \boxed{} = 10$$
$$2 + 3 = 5$$
$$12 + 3 = 15$$

그대로
$$12 + 3 = 15$$
$$2+3$$

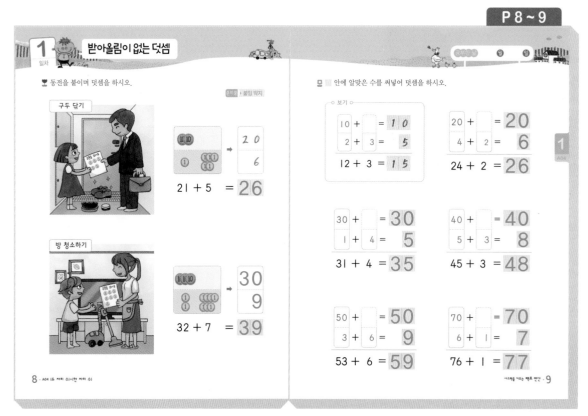

1 일차

'십의 자리 → 일의 자리' 순서로 계산하시오.

| 그대로 |
| 15 + 2 = 1 | → | 15 + 2 = 1 7 |
| 5+2 |

그대로		그대로
11 + 3 = 1 4		23 + 4 = 27
1+3		3+4

34 + 2 = 36   41 + 5 = 46

52 + 7 = 59   64 + 1 = 65

43 + 5 = 48   73 + 6 = 79

53 + 3 = 56   74 + 2 = 76

62 + 5 = 67   37 + 1 = 38

44 + 4 = 48   83 + 6 = 89

97 + 2 = 99   52 + 4 = 56

84 + 3 = 87   21 + 1 = 22

67 + 2 = 69   93 + 4 = 97

---

1 일차

덧셈을 하시오.

14 + 1 = 15   12 + 7 = 19

21 + 3 = 24   31 + 2 = 33

32 + 5 = 37   23 + 2 = 25

45 + 2 = 47   51 + 5 = 56

34 + 4 = 38   42 + 6 = 48

53 + 6 = 59   64 + 3 = 67

42 + 6 = 48   53 + 4 = 57

61 + 4 = 65   32 + 7 = 39

74 + 5 = 79   63 + 1 = 64

22 + 7 = 29   82 + 6 = 88

91 + 3 = 94   72 + 5 = 77

83 + 2 = 85   95 + 3 = 98

1주 2일차 일의 자리 숫자의 합이 10

스토리텔링

아이들은 오늘 특별히 엄마를 도와 드리려 하나 봐요. 지영이는 휴지통을 비우고, 승우는 요리하는데 필요한 두부를 사오네요. 두 아이가 오늘도 엄마를 도와주어 엄마는 무척 기분이 좋으신가 봐요. 오늘 엄마가 주신 동전 쿠폰을 합하면 모두 얼마일까요?

학습가이드

(두 자리 수)+(한 자리 수)의 계산에서 일의 자리 숫자의 합이 10인 계산을 학습하는 과정입니다. 여기서는 십의 자리부터 계산하는 머리셈을 이용하여 (두 자리 수)+(한 자리 수)의 계산을 익힙니다. 머리셈이 빨라지면 일의 자리부터 계산하는 방법보다 훨씬 빠르고 정확한 수셈 능력으로 발전할 수 있으므로 다음과 같은 순서로 지도해 주세요.

$$27 + 3 \Rightarrow 27 + 3 = 3 \Rightarrow 27 + 3 = 3\ 0$$

일의 자리 숫자의 합이 ●인 경우 · 십의 자리 숫자에 1을 더하여 씁니다. · 일의 자리에 0을 씁니다.

P 14 ~ 15

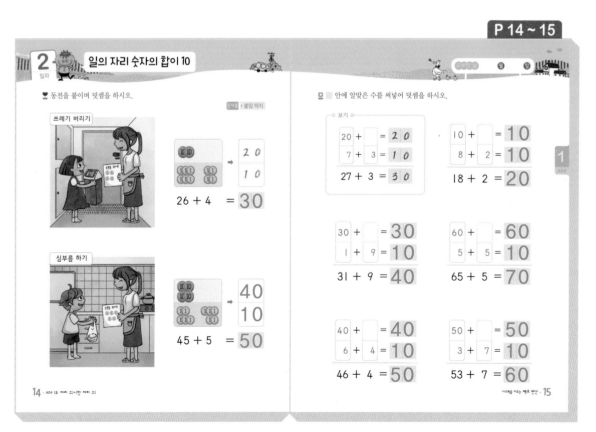

P 16 ~ 17

2 일차

◉ '십의 자리 → 일의 자리' 순서로 계산하시오.

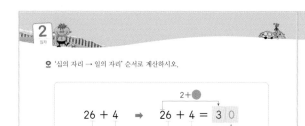

$$2+\text{⬤}$$
$$26 + 4 \Rightarrow 26 + 4 = 30$$
합이 ⬤인 경우   일의 자리에 0

$1+1$
$15 + 5 = 20$

$2+1$
$23 + 7 = 30$

$49 + 1 = 50$ $34 + 6 = 40$

$57 + 3 = 60$ $45 + 5 = 50$

$66 + 4 = 70$ $72 + 8 = 80$

$32 + 8 = 40$ $53 + 7 = 60$

$65 + 5 = 70$ $74 + 6 = 80$

$81 + 9 = 90$ $48 + 2 = 50$

$73 + 7 = 80$ $67 + 3 = 70$

$55 + 5 = 60$ $82 + 8 = 90$

$69 + 1 = 70$ $76 + 4 = 80$

16 · A04 [두 자리 수]+(한 자리 수)

1
A04

사고력을 키우는 팩토 연산 · 17

P 18 ~ 19

2 일차

◉ 덧셈을 하시오.

$36 + 4 = 40$ $13 + 7 = 20$

$22 + 8 = 30$ $44 + 6 = 50$

$14 + 6 = 20$ $51 + 9 = 60$

$68 + 2 = 70$ $27 + 3 = 30$

$79 + 1 = 80$ $64 + 6 = 70$

$55 + 5 = 60$ $42 + 8 = 50$

$78 + 2 = 80$ $54 + 6 = 60$

$19 + 1 = 20$ $63 + 7 = 70$

$88 + 2 = 90$ $35 + 5 = 40$

$43 + 7 = 50$ $76 + 4 = 80$

$65 + 5 = 70$ $52 + 8 = 60$

$74 + 6 = 80$ $87 + 3 = 90$

18 · A04 [두 자리 수]+(한 자리 수)

1
A04

스토리텔링

지영이와 승우는 오늘도 열심히 부모님을 도와 드리네요. 승우는 빨래 개는 일을, 지영이는 화분에 물 주는 일을 했나 봐요. 엄마, 아빠는 동전 쿠폰을 주시며 아이들을 칭찬하시네요. 두 아이가 오늘 받은 동전을 모으면 모두 얼마가 될까요?

학습가이드

받아올림이 있는 (두 자리 수)+(한 자리 수)의 계산에서 일의 자리 숫자의 합이 10보다 큰 계산을 학습하는 과정입니다. 받아올림이 있는 덧셈을 잘하기 위해서는 A02권에서 배운 덧셈 구구에 잘 숙달되어 있어야 합니다. 머리셈을 이용하여 십의 자리에서부터 받아올림을 적용하여 계산할 수 있도록 지도해 주세요.

$$2+\bullet$$

$$9+6의 일의 자리 숫자$$

$$29 + 6 \Rightarrow 29 + 6 = \boxed{3} \Rightarrow 29 + 6 = \boxed{3}\,\boxed{5}$$

일의 자리 숫자의
합이 ⬤ 보다 큰 경우

십의 자리 숫자에
1을 더하여 씁니다.

일의 자리에 9+6의 계산 값의
일의 자리 숫자인 5를 씁니다.

P 20 ~ 21

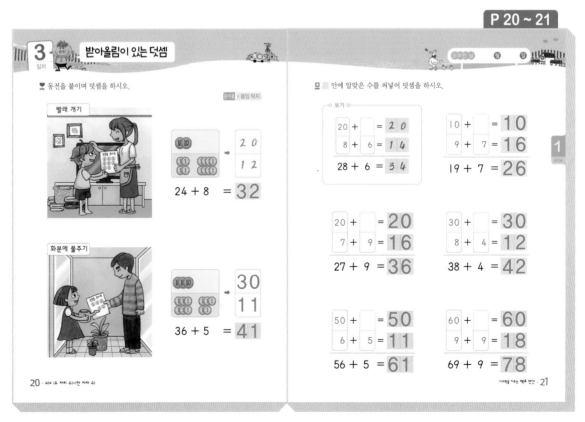

P 22 ~ 23

3
일차

● '십의 자리 → 일의 자리' 순서로 계산하시오.

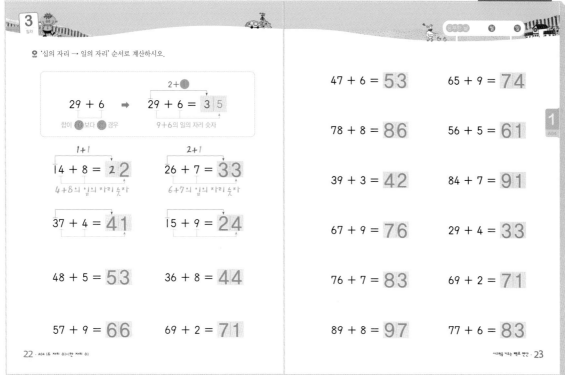

$$2 + \bullet$$

$$29 + 6 \quad \Rightarrow \quad 29 + 6 = \boxed{3}\ \boxed{5}$$

합이 ⑩보다 ⑪ 경우   9+6의 일의 자리 숫자

$$1 + 1$$
$$14 + 8 = 2\ 2$$
4+8의 일의 자리 숫자

$$2 + 1$$
$$26 + 7 = 33$$
6+7의 일의 자리 숫자

$$37 + 4 = 41$$

$$15 + 9 = 24$$

$$48 + 5 = 53$$

$$36 + 8 = 44$$

$$57 + 9 = 66$$

$$69 + 2 = 71$$

$$47 + 6 = 53$$

$$65 + 9 = 74$$

$$78 + 8 = 86$$

$$56 + 5 = 61$$

$$39 + 3 = 42$$

$$84 + 7 = 91$$

$$67 + 9 = 76$$

$$29 + 4 = 33$$

$$76 + 7 = 83$$

$$69 + 2 = 71$$

$$89 + 8 = 97$$

$$77 + 6 = 83$$

22 · A04 (두 자리 수)+(한 자리 수)

사고력을 키우는 팩토 연산 · 23

P 24 ~ 25

3
일차

● 덧셈을 하시오.

$$16 + 8 = 24$$

$$25 + 7 = 32$$

$$57 + 4 = 61$$

$$65 + 8 = 73$$

$$39 + 6 = 45$$

$$17 + 9 = 26$$

$$79 + 6 = 85$$

$$47 + 5 = 52$$

$$26 + 5 = 31$$

$$34 + 8 = 42$$

$$88 + 7 = 95$$

$$78 + 8 = 86$$

$$47 + 7 = 54$$

$$69 + 4 = 73$$

$$49 + 9 = 58$$

$$87 + 7 = 94$$

$$53 + 9 = 62$$

$$46 + 5 = 51$$

$$78 + 5 = 83$$

$$58 + 3 = 61$$

$$69 + 8 = 77$$

$$78 + 7 = 85$$

$$86 + 8 = 94$$

$$55 + 9 = 64$$

24 · A04 (두 자리 수)+(한 자리 수)

1주 4일차 100보다 작은 수의 덧셈

스토리텔링

오늘은 두 아이가 가족을 위해 좋은 일을 하는 날인가 봐요. 승우는 아빠 어깨를 주물러 드리고, 지영이는 엄마 대신 막내 동생을 돌본 것 같아요. 아이들의 동전 쿠폰이 이젠 제법 많이 모였을텐데…… 두 아이는 오늘 받은 쿠폰까지 모두 얼마를 모으게 될까요?

학습가이드

4일차까지 학습한 (두 자리 수)+(한 자리 수)의 계산을 종합하는 과정입니다.
지금까지 학습한 머리셈을 이용하는 방법으로 십의 자리에서부터 계산할 수 있도록 연습해 주세요.

① 일의 자리 숫자의 합이 10보다 작은 경우

그대로
23 + 4 = 2 7
3+4

② 일의 자리 숫자의 합이 10인 경우

2+●
23 + 7 = 3 0

③ 일의 자리 숫자의 합이 10보다 큰 경우

2+●
23 + 9 = 3 2
3+9의 일의 자리 숫자

P 26 ~ 27

4 일차 100보다 작은 수의 덧셈

동전을 붙이며 덧셈을 하시오.

붙임 딱지

안마해 드리기

```
50
 9
```
53 + 6 = 59

동생 돌보기

```
60
14
```
65 + 9 = 74

안에 알맞은 수를 써넣어 덧셈을 하시오.

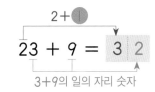

보기
```
40 +   = 4 0
 3 + 5 =   8
43 + 5 = 4 8
```

```
60 +   = 60
 2 + 4 =   6
62 + 4 = 66
```

```
50 +   = 50
 7 + 3 = 10
57 + 3 = 60
```

```
70 +   = 70
 1 + 9 = 10
71 + 9 = 80
```

```
60 +   = 60
 4 + 8 = 12
64 + 8 = 72
```

```
80 +   = 80
 6 + 5 = 11
86 + 5 = 91
```

26 · A04 (두 자리 수)+(한 자리 수)

기초력을 다지는 똑똑 연산 · 27

P 28 ~ 29

4 일차

♀ '십의 자리 → 일의 자리' 순서로 계산하시오.

그대로
$$52 + 4 \Rightarrow 52 + 4 = 5\ 6$$
합이 10보다 작은 경우 2+4

그대로
$$34 + 1 = 3\ 5$$
4+1

그대로
$$42 + 4 = 46$$
2+4

$$62 + 7 = 69$$

$$52 + 3 = 55$$

$$45 + 2 = 47$$

$$73 + 5 = 78$$

$$81 + 3 = 84$$

$$94 + 4 = 98$$

5+1
$$54 + 8 \Rightarrow 54 + 8 = 6\ 2$$
합이 10보다 큰 경우 4+8의 일의 자리 숫자

4+1
$$48 + 9 = 5\ 7$$
8+9의 일의 자리 숫자

5+1
$$57 + 8 = 65$$
7+8의 일의 자리 숫자

$$69 + 7 = 76$$

$$46 + 6 = 52$$

$$77 + 8 = 85$$

$$89 + 5 = 94$$

$$83 + 9 = 92$$

$$66 + 8 = 74$$

P 30 ~ 31

4 일차

♀ 덧셈을 하시오.

$$16 + 7 = 23$$

$$32 + 5 = 37$$

$$25 + 5 = 30$$

$$28 + 7 = 35$$

$$44 + 3 = 47$$

$$31 + 2 = 33$$

$$53 + 9 = 62$$

$$63 + 8 = 71$$

$$72 + 4 = 76$$

$$45 + 5 = 50$$

$$68 + 7 = 75$$

$$83 + 6 = 89$$

$$29 + 9 = 38$$

$$42 + 8 = 50$$

$$65 + 7 = 72$$

$$74 + 3 = 77$$

$$58 + 4 = 62$$

$$86 + 9 = 95$$

$$75 + 5 = 80$$

$$93 + 6 = 99$$

$$88 + 3 = 91$$

$$79 + 8 = 87$$

$$69 + 4 = 73$$

$$87 + 7 = 94$$

스토리텔링

아이들은 동전 쿠폰을 얼마나 모았는지 계산을 하고 있어요. 10원짜리 동전 쿠폰은 왼쪽 줄에, 1원짜리 동전 쿠폰은 오른쪽 줄에 놓네요. 친구들처럼 동전을 붙이며 동전 쿠폰을 얼마나 모았는지 계산해 보세요.

학습가이드

4일차까지 익힌 (두 자리 수)+(한 자리 수)의 덧셈을 세로셈 형식으로 학습하는 과정입니다.
아이들이 처음 덧셈의 과정 중에 세로셈으로 계산할 때에는 받아올림한 숫자를 빠뜨리고 계산하는 경우가 있으므로 숙달될 때까지는 세로셈의 맨 위에 받아올림 한 숫자를 꼭 기록하도록 지도합니다.

```
    2  5                    1                       2  5
  +    9      ➡       2  5         ➡        +       9
 ─────────          +     9                ──────────
    1  4            ────────                   3  4
    2  0              3  4
 ─────────
    3  4
```

P 32 ~ 33

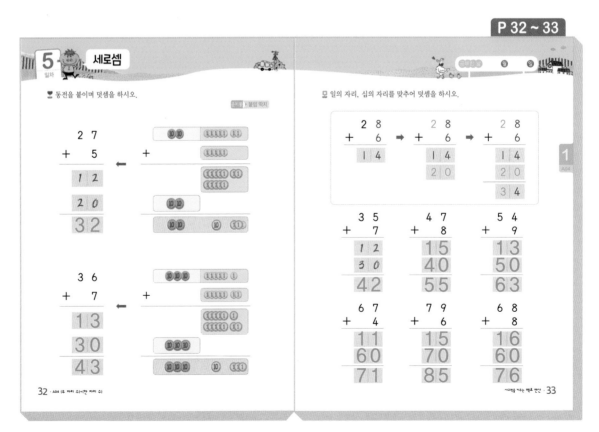

동전을 붙이며 덧셈을 하시오.

```
    2  7
  +    5
 ────────
    1  2
    2  0
 ────────
    3  2
```

```
    3  6
  +    7
 ────────
    1  3
    3  0
 ────────
    4  3
```

일의 자리, 십의 자리를 맞추어 덧셈을 하시오.

```
    2  8          2  8          2  8
  +    6   ➡    +    6   ➡    +    6
 ────────      ────────      ────────
    1  4          1  4          1  4
                  2  0          2  0
                              ────────
                                3  4
```

```
    3  5          4  7          5  4
  +    7        +    8        +    9
 ────────      ────────      ────────
    1  2          1  5          1  3
    3  0          4  0          5  0
 ────────      ────────      ────────
    4  2          5  5          6  3
```

```
    6  7          7  9          6  8
  +    4        +    6        +    8
 ────────      ────────      ────────
    1  1          1  5          1  6
    6  0          7  0          6  0
 ────────      ────────      ────────
    7  1          8  5          7  6
```

P 34 ~ 35

5 일차

○ 일의 자리, 십의 자리를 맞추어 덧셈을 하시오.

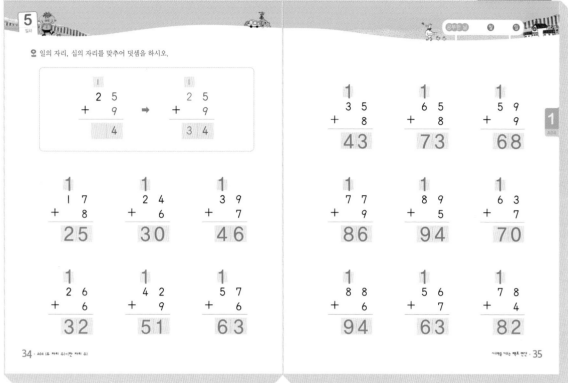

$$\begin{array}{r} 1 \\ 2\ 5 \\ +\ 9 \\ \hline 4 \end{array} \Rightarrow \begin{array}{r} 1 \\ 2\ 5 \\ +\ 9 \\ \hline 3\ 4 \end{array}$$

$$\begin{array}{r} 1 \\ 1\ 7 \\ +\ 8 \\ \hline 2\ 5 \end{array} \qquad \begin{array}{r} 1 \\ 2\ 4 \\ +\ 6 \\ \hline 3\ 0 \end{array} \qquad \begin{array}{r} 1 \\ 3\ 9 \\ +\ 7 \\ \hline 4\ 6 \end{array}$$

$$\begin{array}{r} 1 \\ 2\ 6 \\ +\ 6 \\ \hline 3\ 2 \end{array} \qquad \begin{array}{r} 1 \\ 4\ 2 \\ +\ 9 \\ \hline 5\ 1 \end{array} \qquad \begin{array}{r} 1 \\ 5\ 7 \\ +\ 6 \\ \hline 6\ 3 \end{array}$$

$$\begin{array}{r} 1 \\ 3\ 5 \\ +\ 8 \\ \hline 4\ 3 \end{array} \qquad \begin{array}{r} 1 \\ 6\ 5 \\ +\ 8 \\ \hline 7\ 3 \end{array} \qquad \begin{array}{r} 1 \\ 5\ 9 \\ +\ 9 \\ \hline 6\ 8 \end{array}$$

$$\begin{array}{r} 1 \\ 7\ 7 \\ +\ 9 \\ \hline 8\ 6 \end{array} \qquad \begin{array}{r} 1 \\ 8\ 9 \\ +\ 5 \\ \hline 9\ 4 \end{array} \qquad \begin{array}{r} 1 \\ 6\ 3 \\ +\ 7 \\ \hline 7\ 0 \end{array}$$

$$\begin{array}{r} 1 \\ 8\ 8 \\ +\ 6 \\ \hline 9\ 4 \end{array} \qquad \begin{array}{r} 1 \\ 5\ 6 \\ +\ 7 \\ \hline 6\ 3 \end{array} \qquad \begin{array}{r} 1 \\ 7\ 8 \\ +\ 4 \\ \hline 8\ 2 \end{array}$$

34 · A04 (두 자리 수)+(한 자리 수)

사고력을 키우는 팩토 연산 · 35

1
A04

P 36 ~ 37

5 일차

○ 덧셈을 하시오.

$$\begin{array}{r} 1\ 5 \\ +\ 6 \\ \hline 2\ 1 \end{array} \qquad \begin{array}{r} 2\ 6 \\ +\ 9 \\ \hline 3\ 5 \end{array} \qquad \begin{array}{r} 3\ 3 \\ +\ 7 \\ \hline 4\ 0 \end{array}$$

$$\begin{array}{r} 2\ 9 \\ +\ 4 \\ \hline 3\ 3 \end{array} \qquad \begin{array}{r} 1\ 7 \\ +\ 7 \\ \hline 2\ 4 \end{array} \qquad \begin{array}{r} 4\ 5 \\ +\ 8 \\ \hline 5\ 3 \end{array}$$

$$\begin{array}{r} 3\ 3 \\ +\ 9 \\ \hline 4\ 2 \end{array} \qquad \begin{array}{r} 5\ 9 \\ +\ 7 \\ \hline 6\ 6 \end{array} \qquad \begin{array}{r} 6\ 8 \\ +\ 4 \\ \hline 7\ 2 \end{array}$$

$$\begin{array}{r} 4\ 6 \\ +\ 9 \\ \hline 5\ 5 \end{array} \qquad \begin{array}{r} 5\ 8 \\ +\ 5 \\ \hline 6\ 3 \end{array} \qquad \begin{array}{r} 6\ 9 \\ +\ 8 \\ \hline 7\ 7 \end{array}$$

$$\begin{array}{r} 7\ 5 \\ +\ 6 \\ \hline 8\ 1 \end{array} \qquad \begin{array}{r} 4\ 7 \\ +\ 7 \\ \hline 5\ 4 \end{array} \qquad \begin{array}{r} 3\ 8 \\ +\ 3 \\ \hline 4\ 1 \end{array}$$

$$\begin{array}{r} 8\ 6 \\ +\ 8 \\ \hline 9\ 4 \end{array} \qquad \begin{array}{r} 7\ 9 \\ +\ 9 \\ \hline 8\ 8 \end{array} \qquad \begin{array}{r} 8\ 8 \\ +\ 9 \\ \hline 9\ 7 \end{array}$$

36 · A04 (두 자리 수)+(한 자리 수)

1
A04

P 38 ~ 39

(두 자리 수) + (한 자리 수) 연산 실력 체크

정답 수 / 39개
날짜 월 일

🔔 2주~4주 사고력 연산을 학습하기 전에 기본 연산 실력을 점검해 보세요.

1. 14 + 2 = 16

2. 43 + 5 = 48

3. 35 + 1 = 36

4. 24 + 6 = 30

5. 58 + 2 = 60

6. 73 + 7 = 80

7. 12 + 9 = 21

8. 38 + 6 = 44

9. 27 + 5 = 32

10. 54 + 3 = 57

11. 49 + 1 = 50

12. 64 + 8 = 72

13. 35 + 9 = 44

14. 48 + 8 = 56

15. 73 + 7 = 80

16. 59 + 4 = 63

17. 63 + 5 = 68

18. 85 + 6 = 91

19. 25 + 5 = 30

20. 79 + 6 = 85

21. 46 + 3 = 49

22. 84 + 8 = 92

23. 57 + 7 = 64

24. 79 + 4 = 83

P 40 ~ 41

(두자리수)+(한자리수)

25.
```
  1 3
+   4
─────
  1 7
```

26.
```
  4 6
+   2
─────
  4 8
```

27.
```
  7 1
+   8
─────
  7 9
```

28.
```
  3 5
+   5
─────
  4 0
```

29.
```
  2 7
+   3
─────
  3 0
```

30.
```
  5 4
+   6
─────
  6 0
```

31.
```
  4 8
+   6
─────
  5 4
```

32.
```
  1 9
+   9
─────
  2 8
```

33.
```
  3 6
+   7
─────
  4 3
```

34.
```
  2 5
+   8
─────
  3 3
```

35.
```
  4 7
+   4
─────
  5 1
```

36.
```
  8 3
+   9
─────
  9 2
```

37.
```
  7 6
+   4
─────
  8 0
```

38.
```
  5 8
+   7
─────
  6 5
```

39.
```
  8 6
+   9
─────
  9 5
```

연산 실력 분석

오답 수에 맞게 학습을 진행하시기 바랍니다.

평가	오답 수	학습 방법
최고예요	0 ~ 2개	전반적으로 학습 내용에 대해 정확히 이해하고 있으며 매우 우수합니다. 기본 연산 문제를 자신 있게 풀 수 있는 실력을 갖추었으므로 이제는 사고력을 향상시킬 차례입니다. 2주차부터 차근차근 학습을 진행해 보세요. 학습 [2주차] → [3주차] → [4주차]
잘했어요	3 ~ 4개	기본 연산 문제를 전반적으로 잘 이해하고 있지만 약간의 실수가 있는 것 같습니다. 틀린 문제를 다시 한 번 풀어 보고, 문제를 차근차근 푸는 습관을 갖도록 노력해 보세요. 매스티안 홈페이지에서 제공하는 보충 학습으로 연산 실력을 향상시킨 후 2, 3, 4주차 학습을 진행해 주세요. 학습 [틀린 문제 복습] → [보충 학습] → [2주차] → ⋯
노력해요	5개 이상	개념을 정확하게 이해하고 있지 않아 연산을 하는데 어려움이 있습니다. 개념을 이해하고 연산 문제를 반복해서 연습해 보세요. 매스티안 홈페이지에서 제공하는 보충 학습으로 연산 실력을 향상시키는데 도움이 될 것입니다. 여러분도 곧 연산왕이 될 수 있습니다. 조금만 힘을 내주세요. 학습 [1주차 원리 중심 복습] → [보충 학습] → [2주차] → ⋯

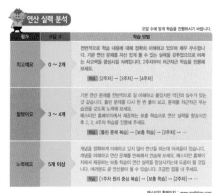

매스티안 홈페이지 : www.mathian.com

P 44 ~ 45

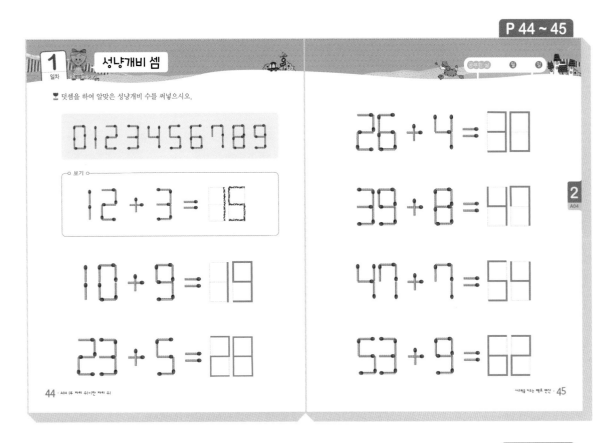

P 46 ~ 47

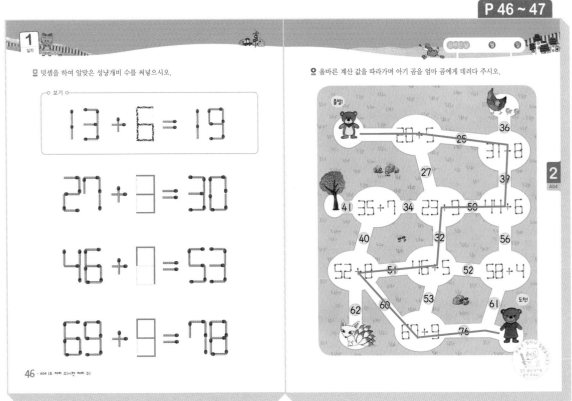

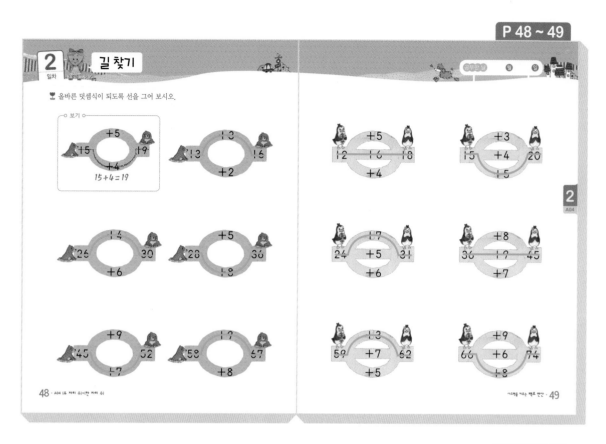

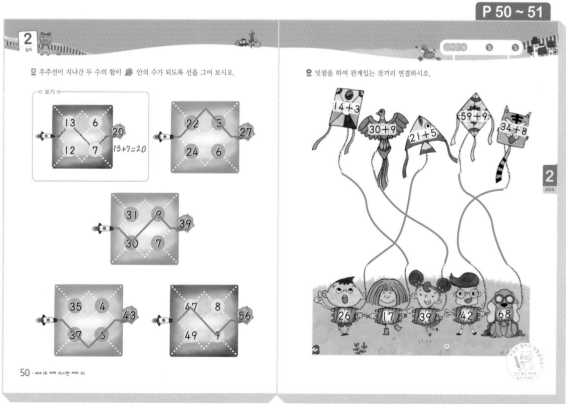

P 52 ~ 53

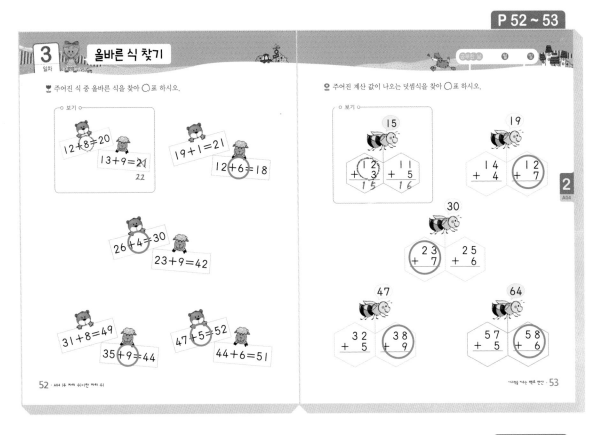

P 54 ~ 55

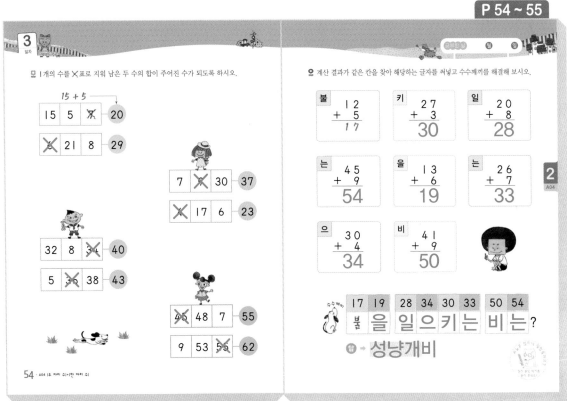

P 56 ~ 57

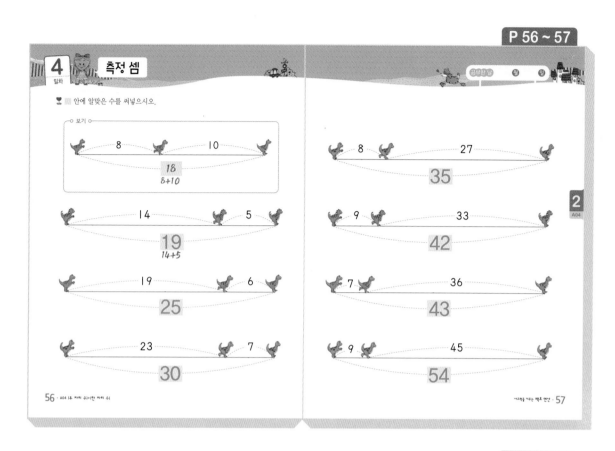

측정 셈

안에 알맞은 수를 써넣으시오.

보기

8   10
18
8+10

14   5
19
14+5

19   6
25

23   7
30

8   27
35

9   33
42

7   36
43

9   45
54

56 · A04 (두 자리 수)+(한 자리 수)

아기고릴 띠는 맵고 연산 · 57

P 58 ~ 59

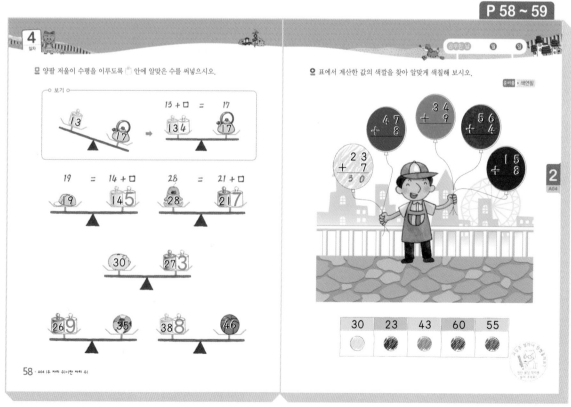

양팔 저울이 수평을 이루도록 안에 알맞은 수를 써넣으시오.

보기

13 + □ = 17
13 4   17

19 = 14 + □
19   14 5

28 = 21 + □
28   21 7

30   27 3

26 9   35

38 8   46

표에서 계산한 값의 색깔을 찾아 알맞게 색칠해 보시오.

준비물 ▶ 색연필

4 7
+ 8

3 4
+ 9

5 6
+ 4

2 3
+ 7
3 0

1 5
+ 8

30	23	43	60	55

58 · A04 (두 자리 수)+(한 자리 수)

P 60 ~ 61

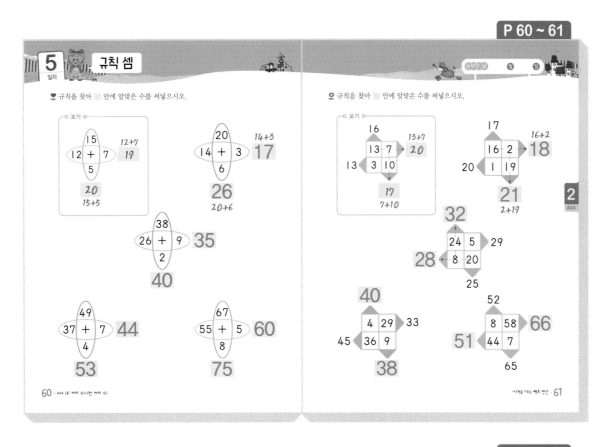

P 62 ~ 63

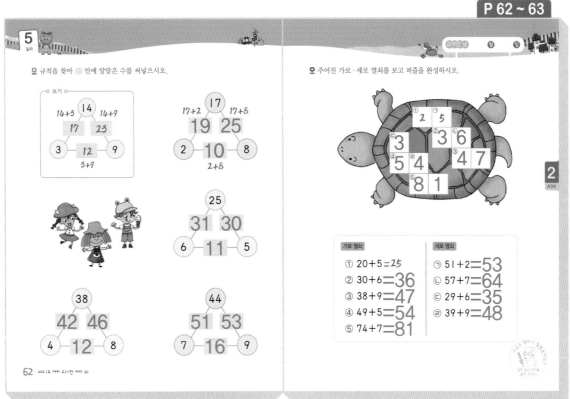

가로 열쇠	세로 열쇠
① 20+5=25	㉠ 51+2=53
② 30+6=36	㉡ 57+7=64
③ 38+9=47	㉢ 29+6=35
④ 49+5=54	㉣ 39+9=48
⑤ 74+7=81	

P 66 ~ 67

합이 주어진 수가 되는 두 수를 찾아 색칠하시오.

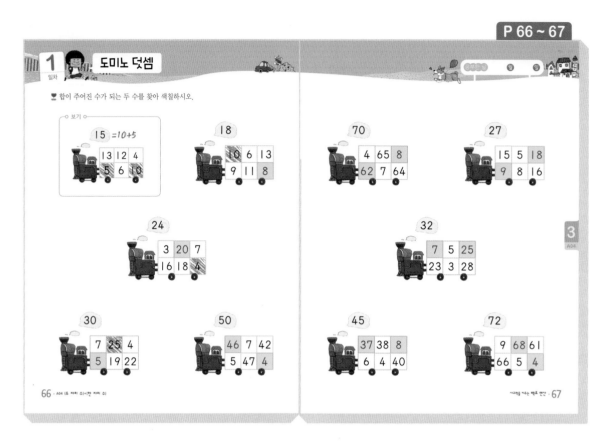

P 68 ~ 69

이웃한 도미노 수의 합이 주어진 수가 되도록 빈칸에 알맞은 수를 써넣으시오.

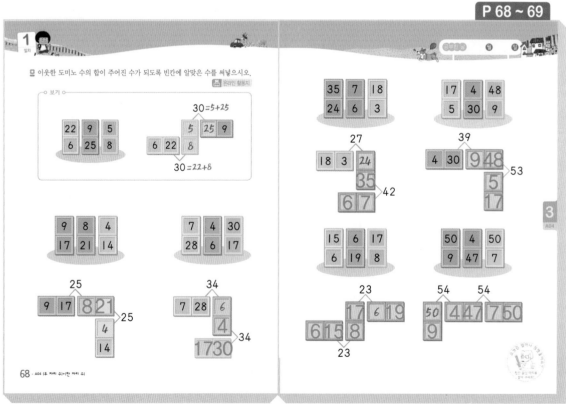

P 70 ~ 71

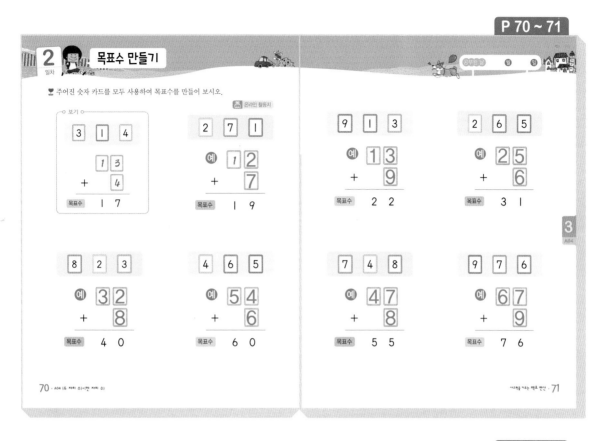

P 72 ~ 73

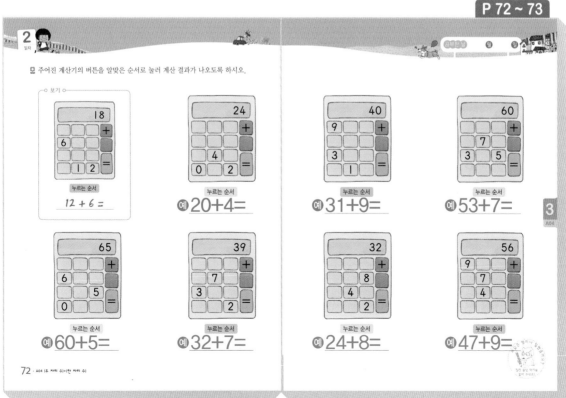

P 74 ~ 75

3 일차 벌레먹은 셈

♥ ▦ 안에 알맞은 숫자를 써넣으시오.

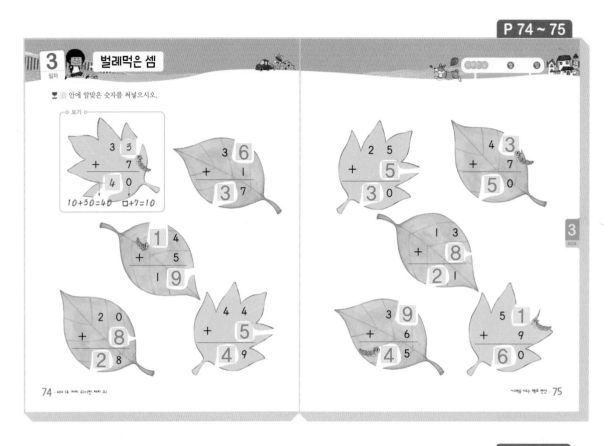

74 · A04 (두 자리 수)+(한 자리 수)

사고력을 키우는 팩토 연산 · 75

P 76 ~ 77

3 일차

▦ 안에 알맞은 숫자를 써넣으시오.

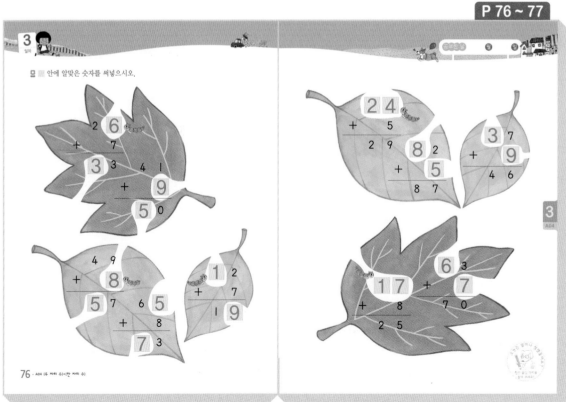

76 · A04 (두 자리 수)+(한 자리 수)

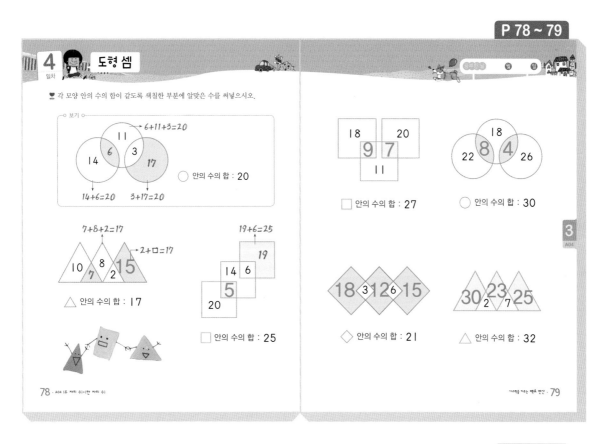

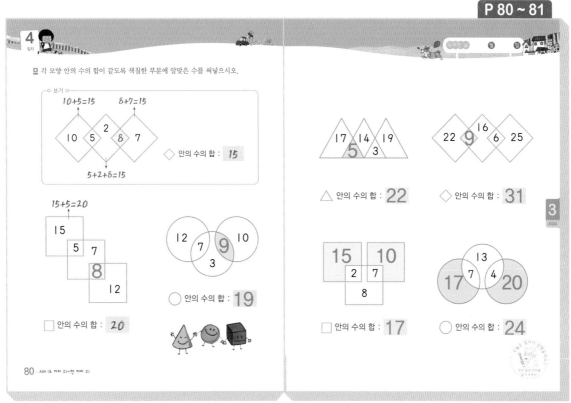

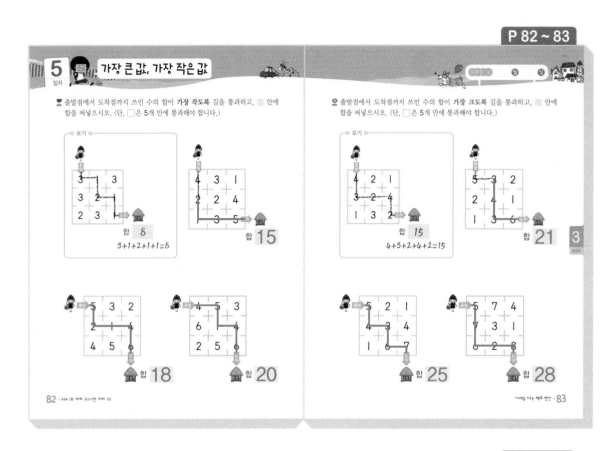

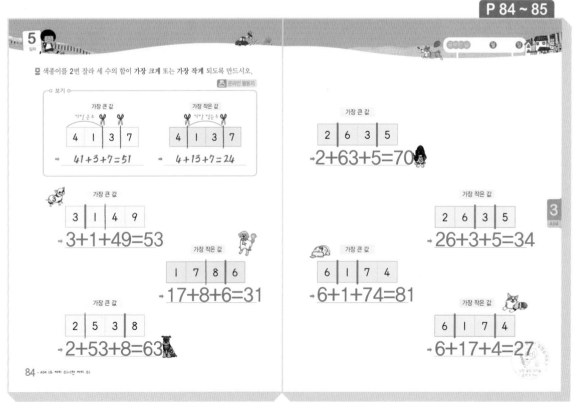

P 88 ~ 89

1 일차 약속 셈

☙ 약속에 맞게 식을 계산하여 ☐ 안에 알맞은 수를 써넣으시오.

약속 　가 ◆ 나 = 가 + 나 + 7

$10 ◆ 9 = 10 + 9 + 7 = 26$

$30 ◆ 7 = 30 + 7 + 7 = 44$

$16 ◆ 8 = 16 + 8 + 7 = 31$

약속 　가 ◎ 나 = 5 + 나 + 가

$8 ◎ 12 = 5 + 12 + 8 = 25$

$6 ◎ 27 = 5 + 27 + 6 = 38$

약속 　가 ★ 나 = 가 + 나 + 나

$20 ★ 8 = 20 + 8 + 8 = 36$

$14 ★ 6 = 14 + 6 + 6 = 26$

$37 ★ 9 = 37 + 9 + 9 = 55$

약속 　가 ♥ 나 = 나 + 가 + 나

$25 ♥ 5 = 5 + 25 + 5 = 35$

$49 ♥ 4 = 4 + 49 + 4 = 57$

P 90 ~ 91

1 일차

☙ 약속에 맞게 식을 계산하여 ☐ 안에 알맞은 수를 써넣으시오.

약속 　가 ◆ 나 = 가 + 4 + 나

$10 ◆ 5 = 19$　　　$14 ◆ 2 = 20$
　↳ 10 + 4 + 5

$25 ◆ 7 = 36$　　　$36 ◆ 9 = 49$

$42 ◆ 6 = 52$

약속 　가 ◎ 나 = 8 + 나 + 가

$5 ◎ 10 = 23$　　　$8 ◎ 12 = 28$
　↳ 8 + 10 + 5

$7 ◎ 16 = 31$　　　$9 ◎ 35 = 52$

약속 　가 ♥ 나 = 가 + 나 + 나

$13 ♥ 7 = 27$　　　$20 ♥ 3 = 26$
　↳ 13 + 7 + 7

$32 ♥ 5 = 42$　　　$46 ♥ 4 = 54$

$54 ♥ 8 = 70$

약속 　가 ★ 나 = 가 + 나 + 가

$3 ★ 20 = 26$　　　$4 ★ 22 = 30$
　↳ 3 + 20 + 3

$9 ★ 31 = 49$　　　$8 ★ 44 = 60$

P 92 ~ 93

2일차 식 완성하기

주어진 숫자 카드를 모두 사용하여 덧셈식을 완성하시오.

보기

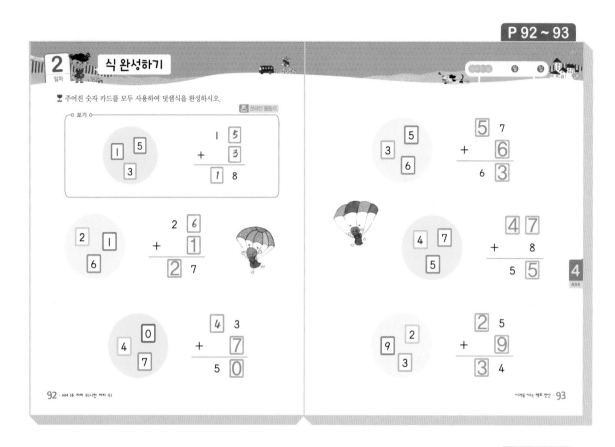

P 94 ~ 95

2일차

올바른 식이 되도록 ▨ 카드와 바꾸어야 하는 카드 1장을 찾아 색칠하시오.

보기

15 + 9 = 1 4 → 15 + 4 = 19

16 + 3 = 1 3 → 13+3=16

25 + 3 = 37 → 35+2=37

22 + 7 = 18 → 21+7=28

35 + 3 = 49 → 35+4=39

48 + 8 = 40 → 40+8=48

31 + 9 = 20 → 21+9=30

67 + 8 = 64 → 66+8=74

53 + 1 = 68 → 53+8=61

34 + 9 = 52 → 43+9=52

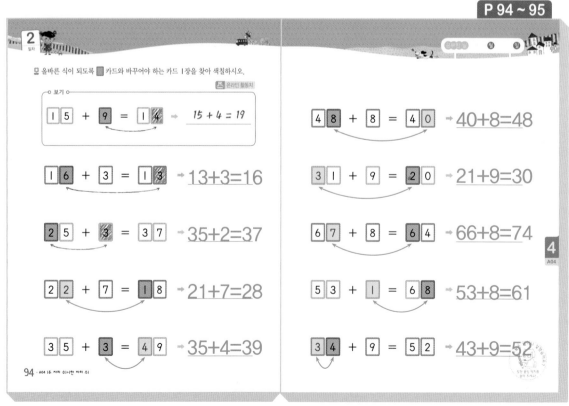

P 96 ~ 97

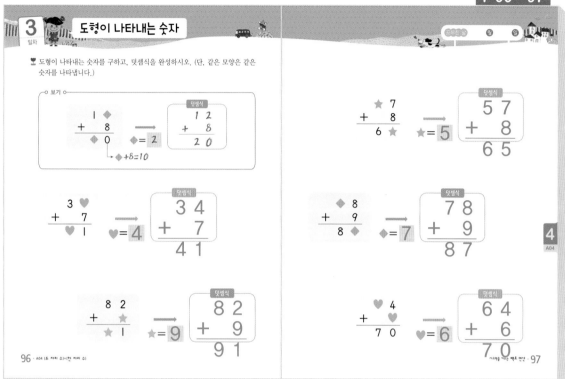

P 98 ~ 99

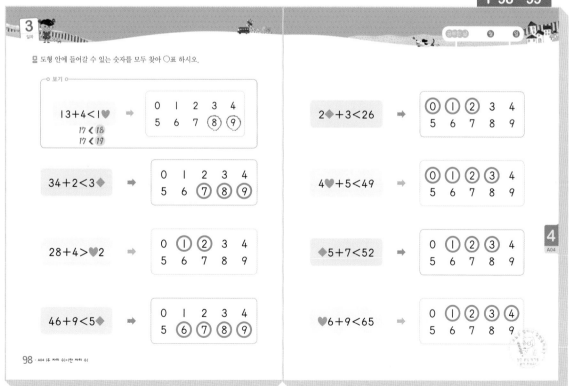

P 100 ~ 101

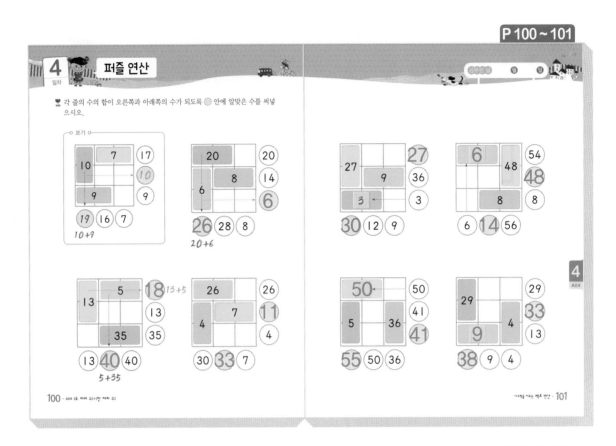

P 102 ~ 103

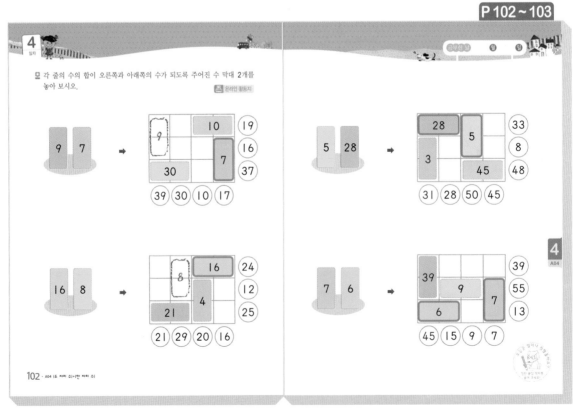

P 104~105

5일차 마방진

가로, 세로 세 수의 합이 ● 안의 수가 되도록 □ 안에 알맞은 수를 써넣으시오.

보기

3+8+0= 11

3	8	0
6	11	7
2	5	4

3+6+2= 11 (세로 왼쪽)
0+7+4= 11 (세로 오른쪽)
2+5+4= 11 (가로 아래)

4+6+2= 12

4	6	2
5	12	9
3	8	1

4+5+3= 12

4	8	5
7	17	10
6	9	2

6	8	4
11	18	9
1	12	5

1	5	7
9	13	4
3	8	2

7+4+2= 13

3	5	6
2	14	7
9	4	1

4	7	12
10	23	5
9	8	6

5	13	7
9	25	12
11	8	6

P 106~107

5일차

가로, 세로, 대각선 세 수의 합이 주어진 수가 되도록 ▦ 안에 알맞은 수를 써넣으시오.

보기

같은 줄의 합 : 12

1+6+5= 12

1	6	5
8	4	0
3	2	7

1+8+3= 12
1+4+7= 12

같은 줄의 합 : 15

8+1+6= 15

8	1	6
3	5	7
4	9	2

같은 줄의 합 : 18

7	8	3
2	6	10
9	4	5

같은 줄의 합 : 21

6	11	4
5	7	9
10	3	8

가로, 세로, 대각선의 세 수의 합이 주어진 수가 되도록 4개의 수를 지우시오.

보기

같은 줄의 합 : 10

4+1+5= 10

4	✗	1	5
5	✗	3	
✗	6	4	
1	4	✗	5

4+5+1= 10
4+2+4= 10

같은 줄의 합 : 13

5+2+6= 13

5	2	✗	6
7	✗	1	5
1	6	6	✗
✗	5	6	2

6+5+2= 13

같은 줄의 합 : 17

4	8	5	✗
7	✗	6	4
✗	5	6	6
6	4	✗	7

memo

상 장

이 름 : _____

위 어린이는 **팩토 연산 A04권**을
창의적인 생각과 노력으로 성실히
잘 풀었으므로 이 상장을 드립니다.

20 년 월 일

매 스 티 안